“ 다양한 **유형**의 **사고력** 문제를 통해
사고력을 향상시킬 수 있는 GO! 매쓰 ”

GO! 매쓰

각 단원별 **사고력** 문제를 **유형**에 따라 학습할 수 있는 **사고력 확장**
GO! 매쓰 Jump로 수학 능력치를 한단계 점프해 보세요.

Jump

4-1

Go! 매쓰 Jump

차례

Go! 매쓰 Jump

구성과 특징

1 핵심 개념 정리

단원별 핵심 개념을 간결하게 정리하여 한눈에 이해할 수 있습니다.

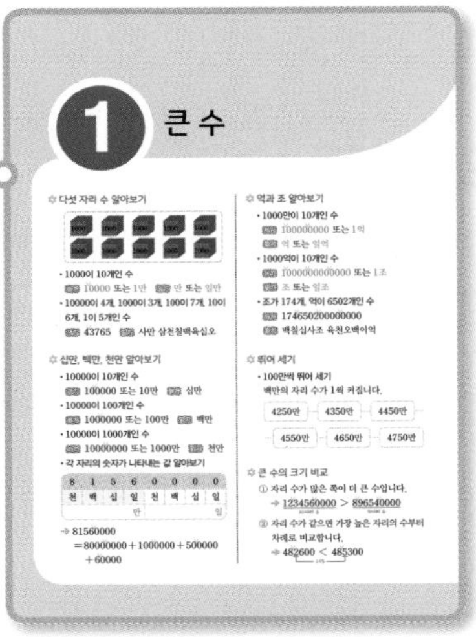

2 대표 유형 익히기

단원별 사고력 문제의 대표 유형을 뽑아 수록하였습니다. 단계에 따라 문제를 해결하면 사고력 문제도 스스로 해결할 수 있습니다.

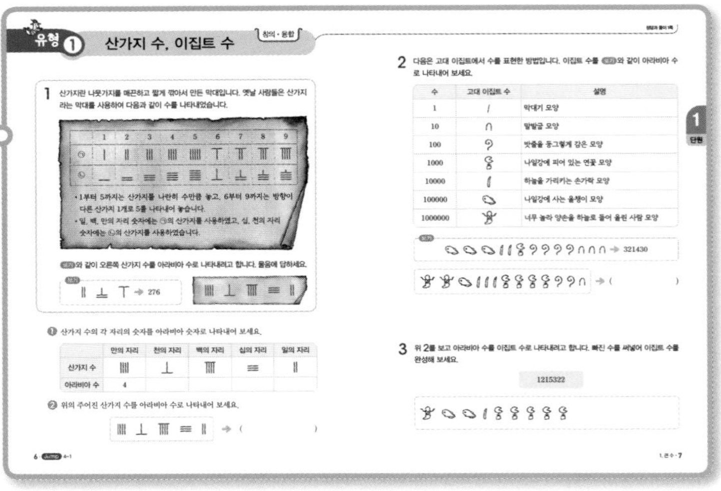

3 사고력 종합평가

한 단원을 학습한 후 종합평가를 통하여 단원에 해당하는 사고력 문제를 잘 이해하였는지 평가할 수 있습니다.

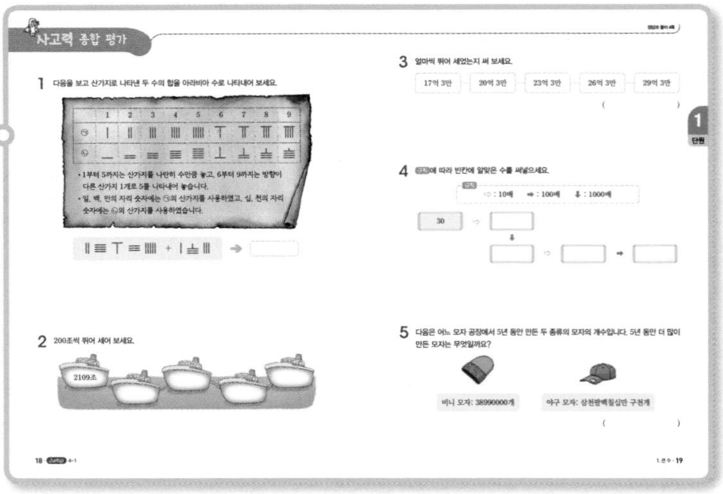

1 큰 수

다섯 자리 수 알아보기

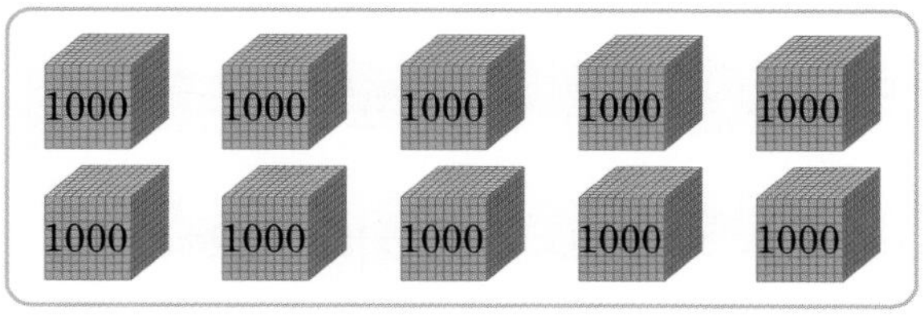

- 1000이 10개인 수
  쓰기 10000 또는 1만 읽기 만 또는 일만
- 10000이 4개, 1000이 3개, 100이 7개, 10이 6개, 1이 5개인 수
  쓰기 43765 읽기 사만 삼천칠백육십오

십만, 백만, 천만 알아보기

- 10000이 10개인 수
  쓰기 100000 또는 10만 읽기 십만
- 10000이 100개인 수
  쓰기 1000000 또는 100만 읽기 백만
- 10000이 1000개인 수
  쓰기 10000000 또는 1000만 읽기 천만
- 각 자리의 숫자가 나타내는 값 알아보기

8	1	5	6	0	0	0	0
천	백	십	일	천	백	십	일
			만				일

→ 81560000
=80000000+1000000+500000
+60000

억과 조 알아보기

- 1000만이 10개인 수
  쓰기 100000000 또는 1억
  읽기 억 또는 일억
- 1000억이 10개인 수
  쓰기 1000000000000 또는 1조
  읽기 조 또는 일조
- 조가 174개, 억이 6502개인 수
  쓰기 174650200000000
  읽기 백칠십사조 육천오백이억

뛰어 세기

- 100만씩 뛰어 세기
  백만의 자리 수가 1씩 커집니다.

4250만 — 4350만 — 4450만 — 4550만 — 4650만 — 4750만

큰 수의 크기 비교

① 자리 수가 많은 쪽이 더 큰 수입니다.
→ 1234560000 > 896540000
(10자리 수, 9자리 수)

② 자리 수가 같으면 가장 높은 자리의 수부터 차례로 비교합니다.
→ 482600 < 485300
(2<5)

유형 1 산가지 수, 이집트 수

1 산가지란 나뭇가지를 매끈하고 짧게 깎아서 만든 막대입니다. 옛날 사람들은 산가지라는 막대를 사용하여 다음과 같이 수를 나타내었습니다.

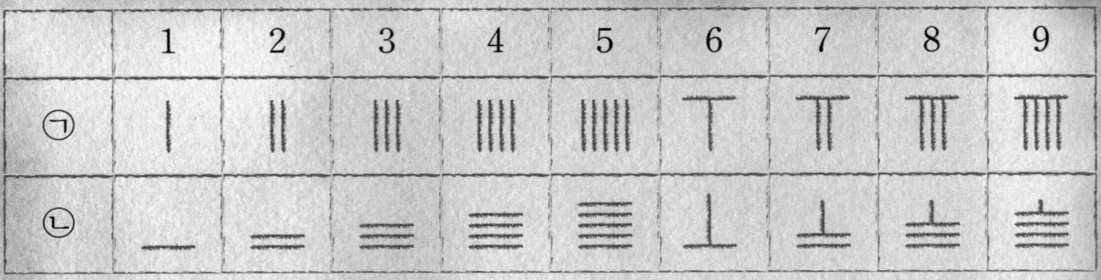

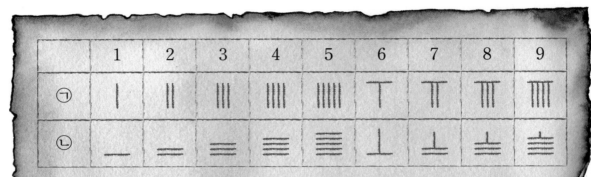

- 1부터 5까지는 산가지를 나란히 수만큼 놓고, 6부터 9까지는 방향이 다른 산가지 1개로 5를 나타내어 놓습니다.
- 일, 백, 만의 자리 숫자에는 ㉠의 산가지를 사용하였고, 십, 천의 자리 숫자에는 ㉡의 산가지를 사용하였습니다.

보기와 같이 오른쪽 산가지 수를 아라비아 수로 나타내려고 합니다. 물음에 답하세요.

보기

 → 276

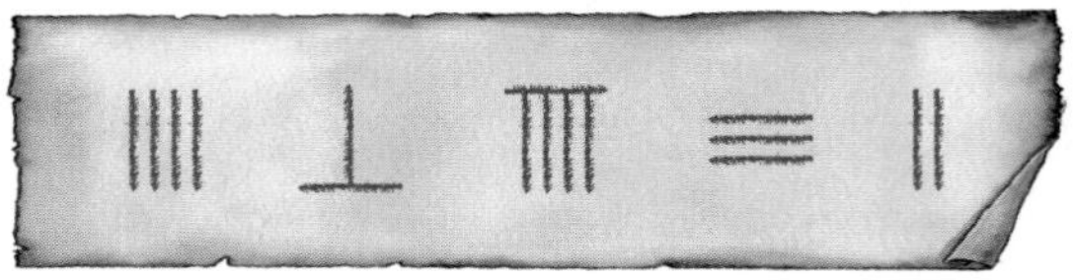

① 산가지 수의 각 자리의 숫자를 아라비아 숫자로 나타내어 보세요.

	만의 자리	천의 자리	백의 자리	십의 자리	일의 자리
산가지 수				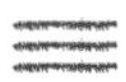	
아라비아 수	4				

② 위의 주어진 산가지 수를 아라비아 수로 나타내어 보세요.

 → (   )

2 다음은 고대 이집트에서 수를 표현한 방법입니다. 이집트 수를 보기와 같이 아라비아 수로 나타내어 보세요.

수	고대 이집트 수	설명
1		막대기 모양
10		말발굽 모양
100		밧줄을 둥그렇게 감은 모양
1000		나일강에 피어 있는 연꽃 모양
10000		하늘을 가리키는 손가락 모양
100000		나일강에 사는 올챙이 모양
1000000		너무 놀라 양손을 하늘로 들어 올린 사람 모양

보기

 → 321430

 → (   )

3 위 **2**를 보고 아라비아 수를 이집트 수로 나타내려고 합니다. 빠진 수를 써넣어 이집트 수를 완성해 보세요.

1215322

뛰어 세기 규칙

추론

1 저금통에 들어 있는 금액을 보고 저금하는 금액의 규칙을 찾아 8일째 되는 날 저금통에 들어 있는 금액이 얼마인지 구하려고 합니다. 물음에 답하세요.

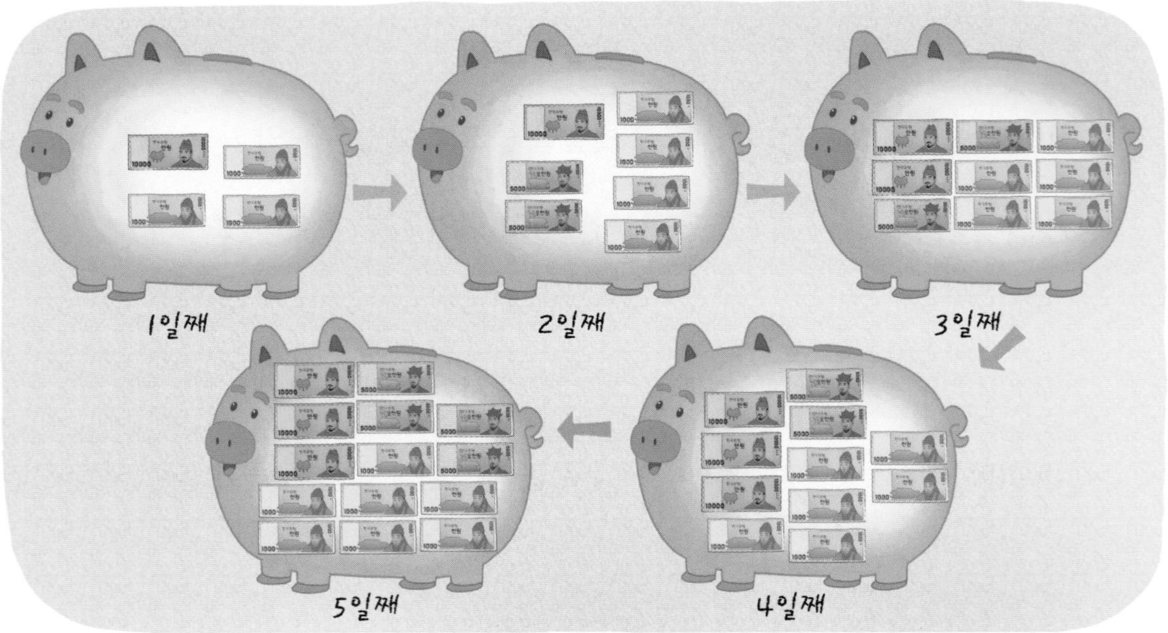

❶ 2일째부터 5일째까지 저금통에 들어 있는 금액은 얼마인지 써 보세요.

1일째	2일째	3일째	4일째	5일째
13000원				

❷ 2일째부터 저금통에 매일 저금하는 금액은 얼마일까요?

(　　　　　　　　)

❸ 8일째 되는 날 저금통에는 얼마가 들어 있을까요?

(　　　　　　　　)

2 가로 또는 세로로 놓인 돌의 규칙에 따라 빈칸에 알맞은 수를 써넣으세요.

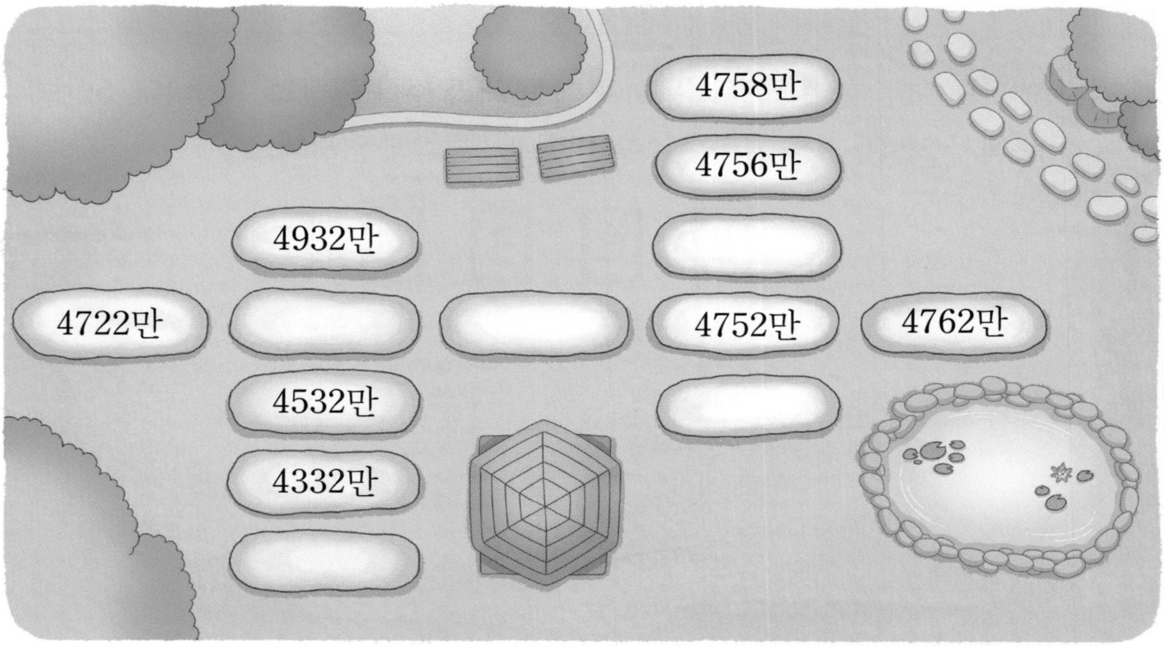

3 규칙에 따라 빈칸에 알맞은 수를 써넣으세요.

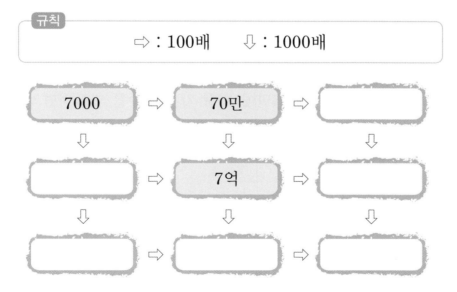

규칙

⇨ : 100배 ⇩ : 1000배

7000	⇨	70만	⇨	
⇩		⇩		⇩
	⇨	7억	⇨	
⇩		⇩		⇩
	⇨		⇨	

유형 3 수 카드로 수 만들기

문제 해결

1 수 카드를 모두 한 번씩만 사용하여 다섯 자리 수를 만들려고 합니다. 5만보다 작은 수 중에서 5만에 가장 가까운 수를 만들 때, 물음에 답하세요.

8 6 3 4 5

❶ 주어진 수 카드의 수의 크기를 비교해 보세요.

□ < □ < □ < □ < □

❷ □ 안에 알맞은 수를 써넣으세요.

주어진 수 카드로 5만보다 작은 수를 만들 때 만의 자리 숫자는 □ 또는 □가 될 수 있습니다. 이 중에서 5만에 더 가까운 만의 자리 숫자는 □입니다.

❸ 알맞은 말에 ○표 하세요.

5만보다 작은 수 중에서 5만에 가장 가까운 수를 만들려면 ❷에서 구한 만의 자리 수 카드를 제외하고 남은 수 카드를 (작은 수 , 큰 수)부터 천, 백, 십, 일의 자리에 차례로 놓아야 합니다.

❹ 5만보다 작은 수 중에서 5만에 가장 가까운 수를 만들어 보세요.

(　　　　　　　　)

2 수 카드를 모두 한 번씩만 사용하여 일곱 자리 수를 만들려고 합니다. 만의 자리 숫자가 6인 가장 작은 수를 쓰고, 읽어 보세요.

3 8 0 1 6 2 5

쓰기 (   )

읽기 (   )

3 수 카드를 모두 한 번씩만 사용하여 3억보다 크면서 3억에 가장 가까운 수를 만들어 보세요.

4 1 5 2 6 3 9 7 8

(   )

4 수 카드를 모두 한 번씩만 사용하여 50만보다 크면서 50만에 가장 가까운 수를 만들어 보세요.

8 2 0 7 6 9

(   )

유형 4 조건을 만족하는 수 구하기

정보 처리

1 승기와 지우는 생각한 수를 맞추는 놀이를 하고 있습니다. 두 사람의 대화를 보고 지우가 생각한 수를 구하려고 합니다. 물음에 답하세요.

❶ 여섯 자리 수의 만의 자리에 숫자 5를 놓아 보세요.

□ □ □ □ □ □

❷ 가장 큰 여섯 자리 수가 되도록 ❶의 수에 0을 3개 놓아 보세요.

□ □ □ □ □ □

❸ 지우가 생각한 수를 구해 보세요.

□ □ □ □ □ □

2 다음 조건을 모두 만족하는 수를 구해 보세요.

- 다섯 자리 수입니다.
- 54100보다 크고 54200보다 작은 수입니다.
- 0이 없습니다.
- 일의 자리 수는 백의 자리 수의 3배입니다.
- 십의 자리 수는 천의 자리 수보다 2만큼 더 작은 수입니다.

( )

3 다음 조건을 모두 만족하는 수 중에서 가장 작은 수를 구해 보세요.

- 일곱 자리 수입니다.
- 7이 모두 2개입니다.
- 십만의 자리 수는 일의 자리 수의 5배입니다.

( )

유형 5 수의 크기 비교하기

창의 · 융합

1 광활한 우주에서 태양을 중심으로 돌고 있는 태양계 행성 중 6개 행성의 지름을 나타낸 것입니다. 물음에 답하세요.

목성	천왕성	토성
	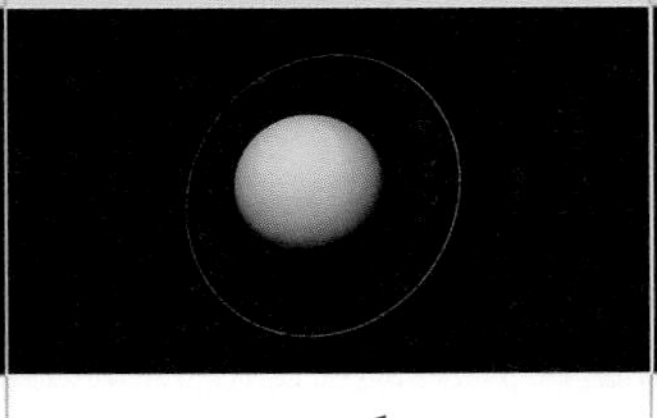	
142984 km	51118 km	120536 km
화성	지구	수성
		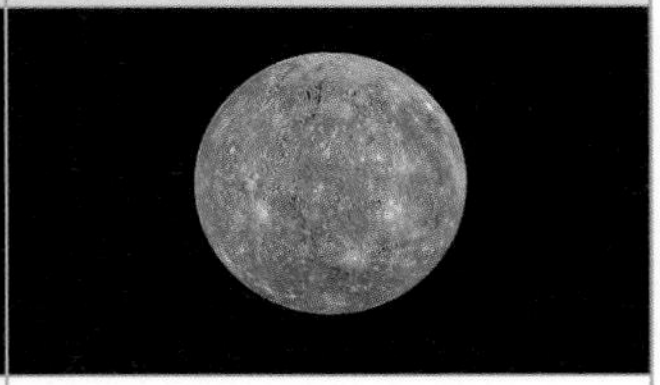
6779 km	12756 km	4879 km

❶ 가장 큰 행성은 무엇일까요?

( )

❷ 가장 작은 행성은 무엇일까요?

( )

❸ 천왕성보다 큰 행성을 모두 찾아 써 보세요.

( )

2 우리나라에서 상품이나 기술을 다른 나라로 파는 것을 수출, 다른 나라로부터 상품이나 기술을 우리나라로 사들이는 것을 수입이라고 합니다. 다음 그림은 2018년 우리나라의 수출액과 수입액을 나타낸 것입니다. 2018년 우리나라의 수출액과 수입액 중 더 많은 것은 무엇일까요?

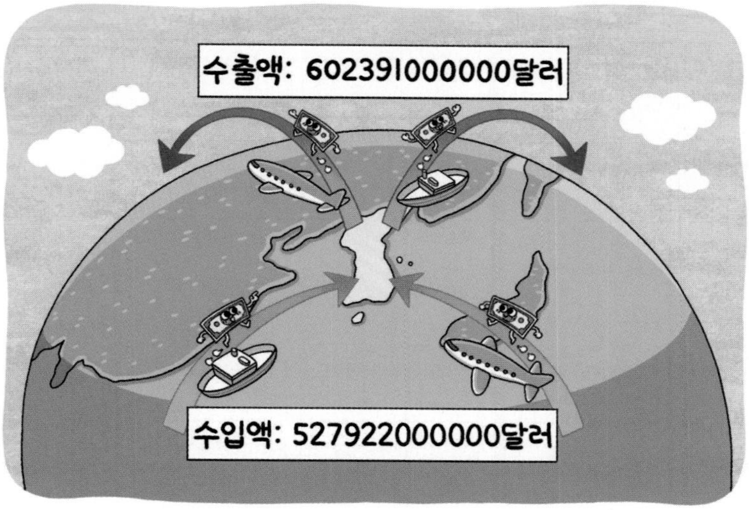

(　　　　　　　　　　)

3 다음은 주요 커피 생산국의 2016년 커피 생산량을 나타낸 것입니다. 커피 생산량이 많은 나라부터 차례로 나라의 이름을 써 보세요.

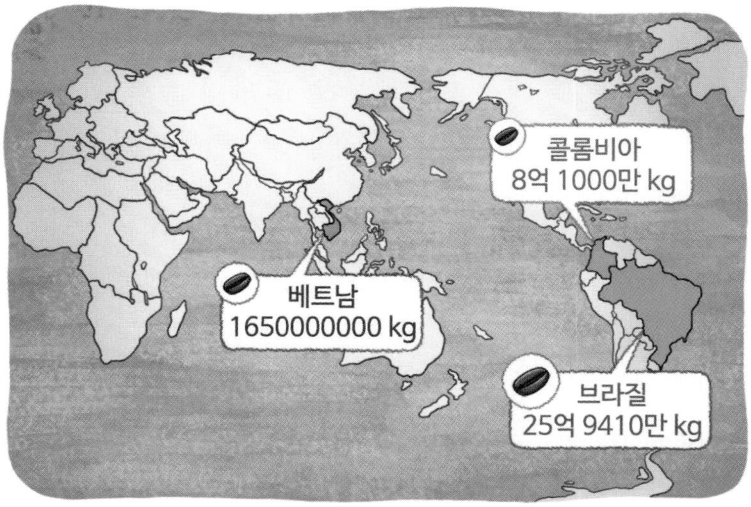

(　　　　　　　　　　　　　　　　)

유형 6 다른 지폐로 바꾸기

문제 해결

1 다음과 같은 수표를 은행에서 만 원짜리 지폐 몇 장으로 바꿀 수 있는지 구하려고 합니다. 물음에 답하세요.

❶ 지우네 아버지께서 가지고 있는 수표는 모두 얼마인지 구해 보세요.

1000만 원짜리	6장:	☐	만 원
100만 원짜리	☐장:	☐	만 원
10만 원짜리	☐장:	☐	만 원
	총 금액:	☐	만 원

❷ 수표를 은행에서 만 원짜리 지폐 몇 장으로 바꿀 수 있는지 구해 보세요.

(　　　　　　　　)

2 영수는 저금통에 만 원짜리 지폐 2장, 천 원짜리 지폐 11장, 백 원짜리 동전 23개, 십 원짜리 동전 10개를 저금하였습니다. 영수가 저금한 돈은 모두 얼마인지 구해 보세요.

(　　　　　　　　　　)

3 다음과 같이 모형 돈이 있습니다. 이 돈을 1억 원짜리 모형 돈으로 바꾼다면 몇 장으로 바꿀 수 있는지 구해 보세요.

3장

15장

17장

(　　　　　　　　　　)

4 68300000원을 100만 원권 수표와 10만 원권 수표로 바꾸려고 합니다. 수표의 수를 가장 적게 하려면 각각 몇 장으로 바꿔야 하는지 구해 보세요.

100만 원권 (　　　　　　　　　　)

10만 원권 (　　　　　　　　　　)

사고력 종합 평가

1 다음을 보고 산가지로 나타낸 두 수의 합을 아라비아 수로 나타내어 보세요.

	1	2	3	4	5	6	7	8	9
㉠	𝍠	𝍡	𝍢	𝍣	𝍤	𝍥	𝍦	𝍧	𝍨
㉡	𝍩	𝍪	𝍫	𝍬	𝍭	𝍮	𝍯	𝍰	𝍱

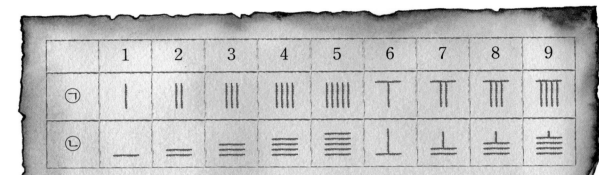

- 1부터 5까지는 산가지를 나란히 수만큼 놓고, 6부터 9까지는 방향이 다른 산가지 1개로 5를 나타내어 놓습니다.
- 일, 백, 만의 자리 숫자에는 ㉠의 산가지를 사용하였고, 십, 천의 자리 숫자에는 ㉡의 산가지를 사용하였습니다.

𝍡𝍬𝍥𝍫𝍤 + 𝍠𝍰𝍢 ➔ ☐

2 200조씩 뛰어 세어 보세요.

3 얼마씩 뛰어 세었는지 써 보세요.

17억 3만 — 20억 3만 — 23억 3만 — 26억 3만 — 29억 3만

(　　　　　　　　)

4 규칙에 따라 빈칸에 알맞은 수를 써넣으세요.

규칙

⇨ : 10배　　➡ : 100배　　⬇ : 1000배

30 ⇨ [　　]

⬇

[　　] ⇨ [　　] ➡ [　　]

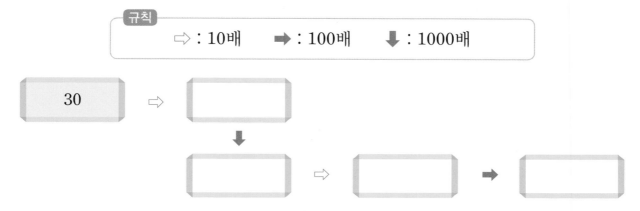

5 다음은 어느 모자 공장에서 5년 동안 만든 두 종류의 모자의 개수입니다. 5년 동안 더 많이 만든 모자는 무엇일까요?

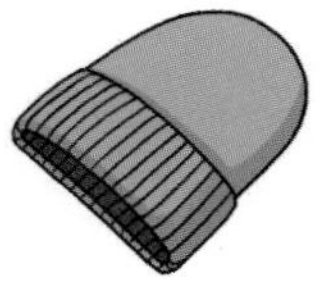

비니 모자: 38990000개

야구 모자: 삼천팔백칠십만 구천 개

(　　　　　　　　)

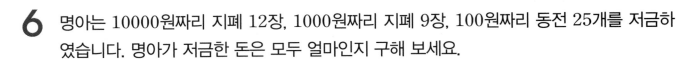

6 명아는 10000원짜리 지폐 12장, 1000원짜리 지폐 9장, 100원짜리 동전 25개를 저금하였습니다. 명아가 저금한 돈은 모두 얼마인지 구해 보세요.

(　　　　　　　　　　)

7 세 수 ㉠, ㉡, ㉢에서 숫자가 하나씩 지워져 있습니다. 큰 수부터 차례로 기호를 써 보세요.

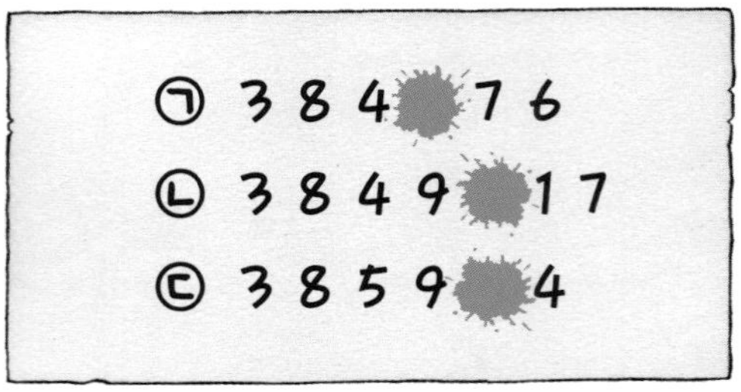

(　　　　　　　　　　)

8 수 카드를 모두 한 번씩만 사용하여 60만보다 작으면서 60만에 가장 가까운 수를 만들어 보세요.

7　5　0　2　4　8

(　　　　　　　　　　)

9 1부터 9까지의 수 카드를 모두 한 번씩만 사용하여 5억보다 크면서 5억에 가장 가까운 수를 만들어 보세요.

[1] [2] [3] [4] [5] [6] [7] [8] [9]

( )

10 4장의 수 카드를 각각 두 번씩 사용하여 여덟 자리 수를 만들려고 합니다. 백만의 자리 숫자가 5인 수 중에서 두 번째로 큰 수를 만들어 보세요.

[6] [5] [2] [8]

( )

11 다음은 태양과 행성 사이의 거리를 나타낸 것입니다. 태양에서 가장 먼 행성의 거리를 읽어 보세요.

지구	해왕성	금성
		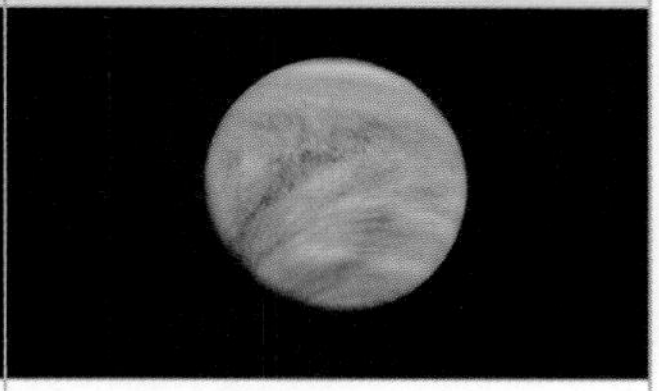
1억 4960만 km	4497000000 km	108200000 km
토성	화성	수성

14억 2700만 km	2억 2800만 km	5790만 km

( ) 킬로미터

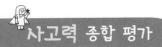

12 0부터 9까지의 수 중에서 □ 안에 들어갈 수 있는 수를 모두 써 보세요.

2943814980 < 294□620000

(　　　　　　　　　　)

13 민정이와 수호는 은행에서 1년 동안 모은 돈을 각각 만 원짜리 지폐로 최대한 많이 찾으려고 합니다. 민정이가 1년 동안 모은 돈은 19만 8450원, 수호가 1년 동안 모은 돈은 20만 1300원입니다. 두 사람이 찾으려는 만 원짜리 지폐는 모두 몇 장일까요?

(　　　　　　　　　　)

14 다음 조건을 모두 만족하는 수를 구해 보세요.

- 수 카드 1, 2, 6, 4, 5를 모두 한 번씩만 사용하여 만든 수입니다.
- 54100보다 큰 수입니다.
- 54300보다 작은 수입니다.
- 일의 자리 수는 홀수입니다.

(　　　　　　　　　　)

2 각도

✲ 각의 크기 비교하기

두 변의 벌어진 정도가 클수록 큰 각입니다.

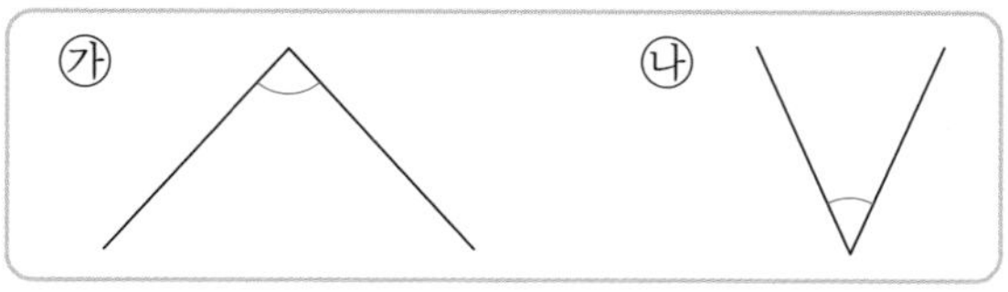

➜ ㉮의 각의 크기가 ㉯의 각의 크기보다 더 큽니다.

✲ 각도 알아보기

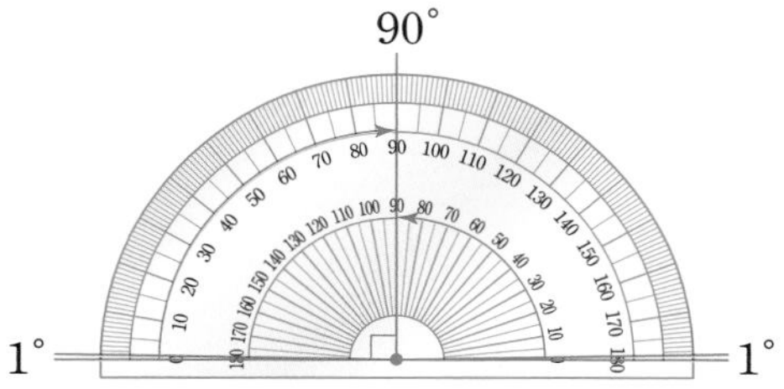

- 각도: 각의 크기
- 직각을 똑같이 90으로 나눈 것 중 하나

쓰기 1° 읽기 1도

- 직각의 크기: 90°

✲ 각도기로 각도 재기

각도기의 중심과 밑금을 각의 꼭짓점과 한 변에 차례로 맞추고 각의 나머지 변과 만나는 각도기의 눈금을 읽습니다.

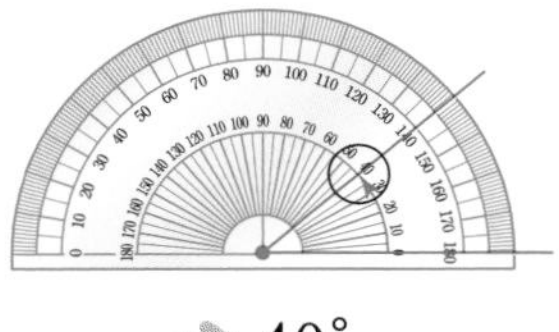

➜ 40°

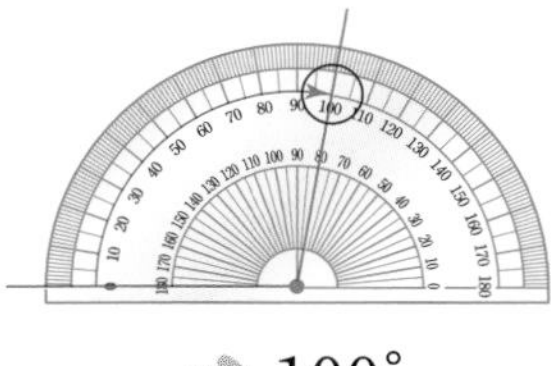

➜ 100°

✲ 예각과 둔각 알아보기

- 예각: 각도가 0°보다 크고 직각보다 작은 각
- 둔각: 각도가 직각보다 크고 180°보다 작은 각

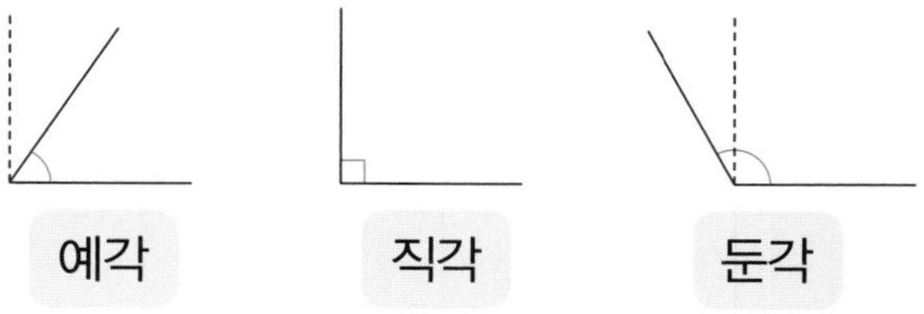

✲ 각도의 합과 차 구하기

- 각도의 합

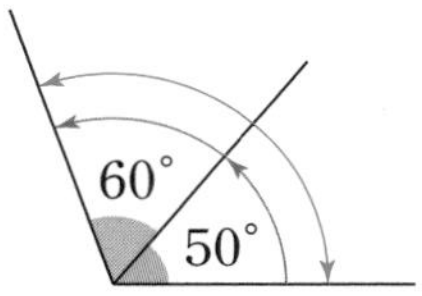

$50° + 60° = 110°$

- 각도의 차

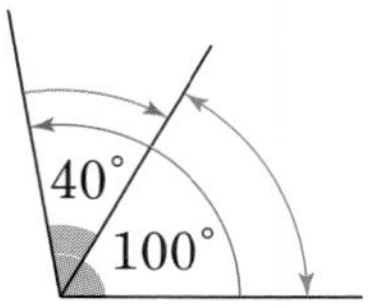

$100° - 40° = 60°$

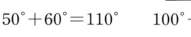

✲ 삼각형의 세 각의 크기의 합 알아보기

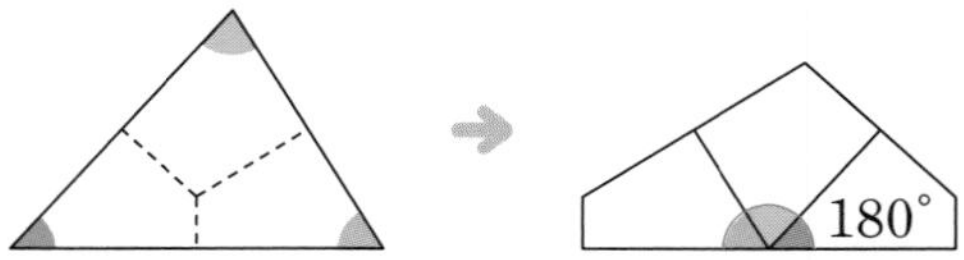

(삼각형의 세 각의 크기의 합)$=180°$

✲ 사각형의 네 각의 크기의 합 알아보기

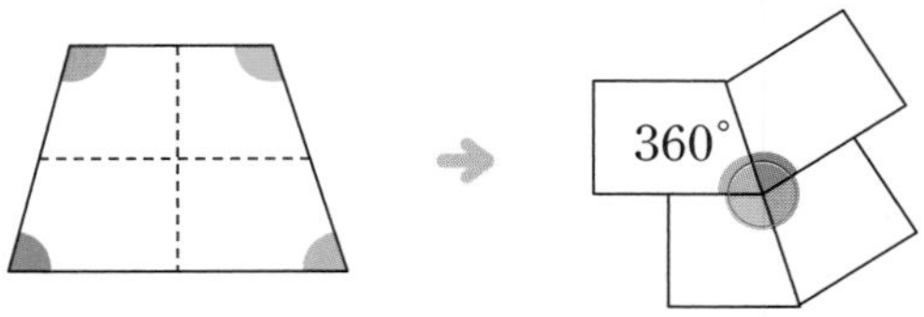

(사각형의 네 각의 크기의 합)$=360°$

여러 가지 삼각형

정보 처리

1 식탁에 놓여 있는 삼각형 모양의 접시를 각에 따라 분류하려고 합니다. 물음에 답하세요.

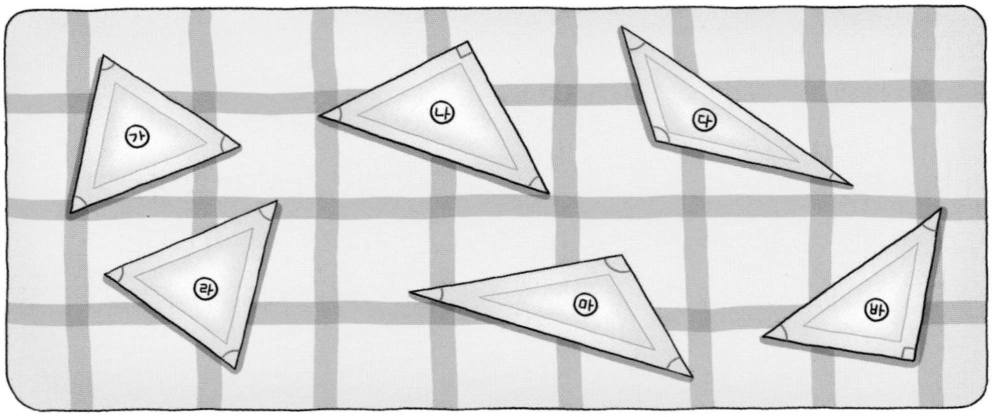

❶ 직각이 있는 접시를 모두 찾아 기호를 써 보세요.

( )

❷ 둔각이 있는 접시를 모두 찾아 기호를 써 보세요.

( )

❸ 세 각이 모두 예각인 접시를 모두 찾아 기호를 써 보세요.

( )

2 직각이 있는 삼각형에 모두 ○표 하세요.

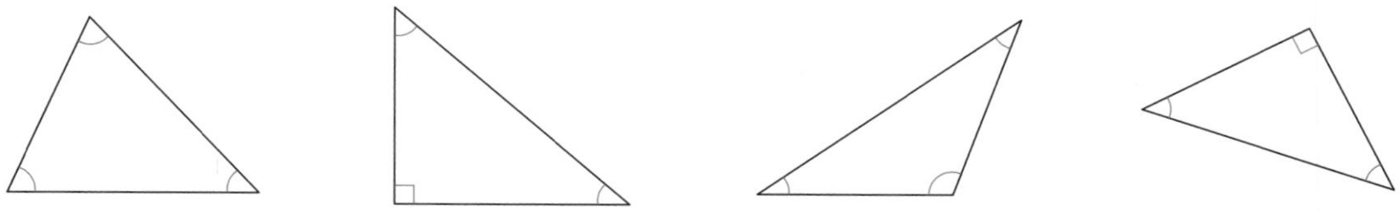

( ) ( ) ( ) ( )

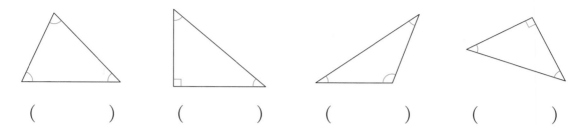

3 둔각이 있는 삼각형을 찾아 ○표 하세요.

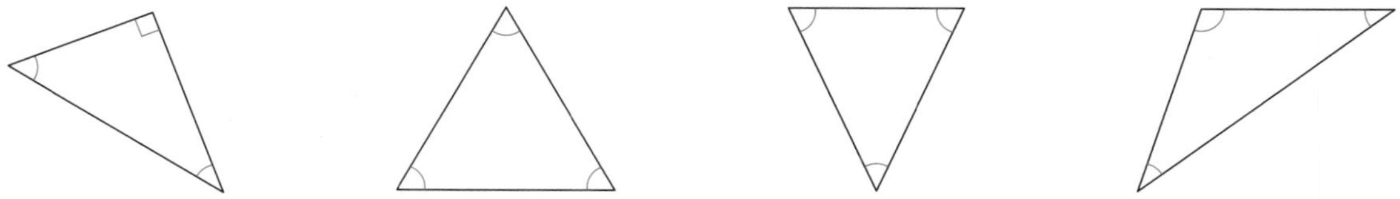

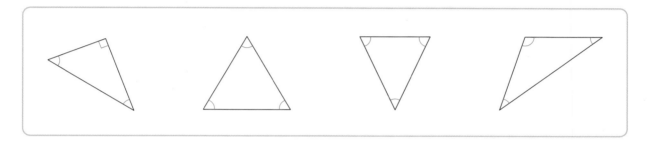

4 하늘에서 내려다보니 땅의 모양이 한눈에 보였습니다. 지은이네 땅은 세 각이 모두 예각인 삼각형 모양입니다. 지은이네 땅을 찾아 기호를 써 보세요.

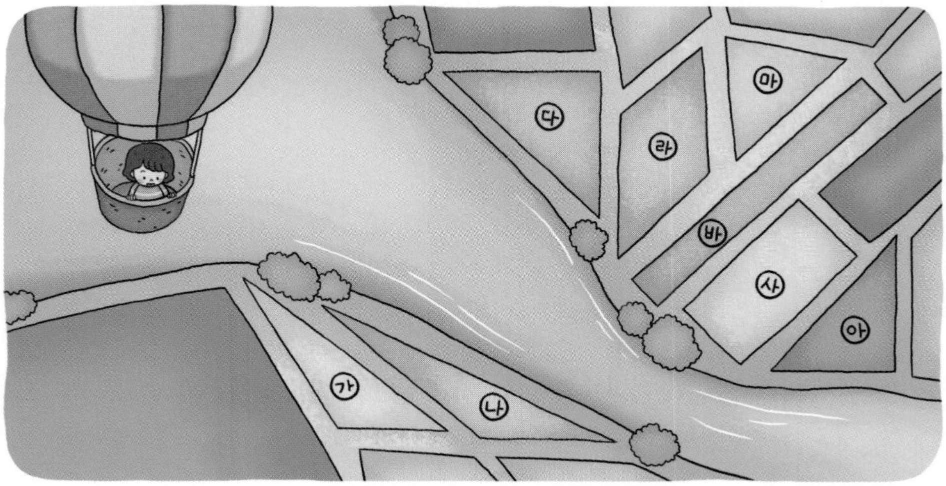

( )

유형 ② 시계에서 볼 수 있는 각

창의・융합

1 공원에 있는 시계가 7시를 가리키고 있습니다. 시계의 긴바늘과 짧은바늘이 이루는 작은 쪽의 각도를 구하려고 합니다. 물음에 답하세요.

❶ 시계의 긴바늘과 짧은바늘이 이루는 작은 쪽의 각은 예각, 직각, 둔각 중 어느 것인지 써 보세요.

(　　　　　　　　)

❷ 시계의 긴바늘과 짧은바늘이 숫자 눈금 한 칸만큼 벌어졌을 때 긴바늘과 짧은바늘이 이루는 작은 쪽의 각도는 몇 도일까요?

(　　　　　　　　)

❸ 시계가 7시를 가리키고 있을 때 긴바늘과 짧은바늘이 이루는 작은 쪽의 각도를 구해 보세요.

(　　　　　　　　)

2 시계의 긴바늘과 짧은바늘이 이루는 작은 쪽의 각이 예각, 직각, 둔각 중 어느 것인지 써 보세요.

❶

(　　　　　　　　　　)

❷

(　　　　　　　　　　)

3 시계의 긴바늘과 짧은바늘이 이루는 작은 쪽의 각도를 구해 보세요.

❶

(　　　　　　　　　　)

❷

(　　　　　　　　　　)

4 시계의 긴바늘과 짧은바늘이 이루는 각도가 180°가 되도록 짧은바늘을 그려 보세요.

직선을 그어 만든 도형

1 직선을 그어 만든 도형입니다. ㉠, ㉡, ㉢의 각도를 각각 구하려고 합니다. 물음에 답하세요.

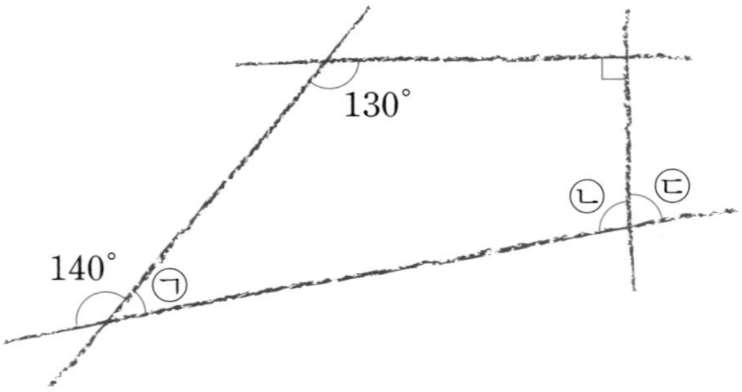

❶ ㉠의 각도를 구해 보세요.

(　　　　　　　　)

❷ ㉡의 각도를 구해 보세요.

(　　　　　　　　)

❸ ㉢의 각도를 구해 보세요.

(　　　　　　　　)

2 직선을 그어 만든 도형입니다. □ 안에 알맞은 수를 써넣으세요.

❶

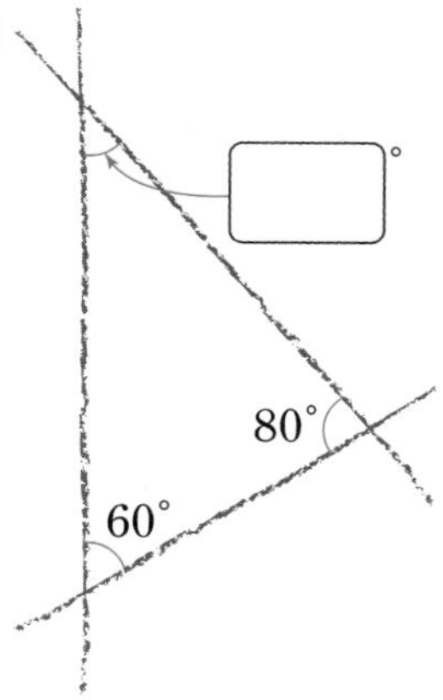

❷

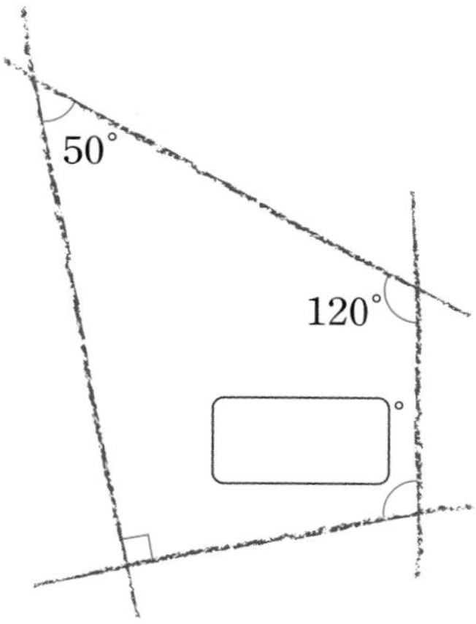

3 직선을 그어 만든 도형입니다. 물음에 답하세요.

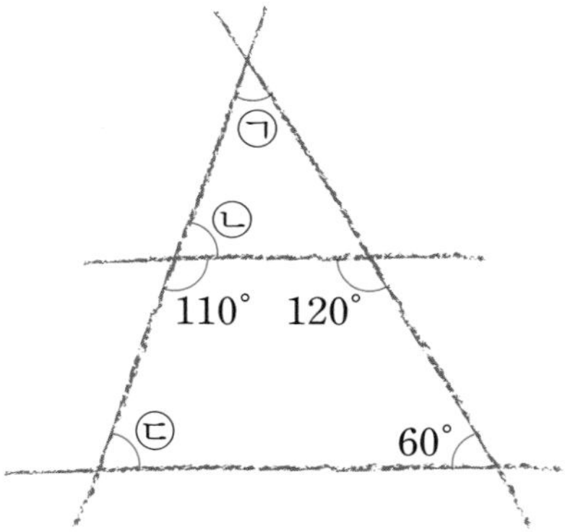

❶ ㉢의 각도를 구해 보세요.

( )

❷ ㉠의 각도를 구해 보세요.

( )

❸ ㉡의 각도를 구해 보세요.

( )

유형 4 벌집으로 알아보는 각의 크기의 합

문제 해결

1 신비는 과학책에 나온 벌집을 보며 벌집 안쪽에 있는 모든 각의 크기의 합이 궁금해졌습니다. 삼각형의 세 각의 크기의 합을 이용하여 벌집 안쪽에 있는 모든 각의 크기의 합을 구하려고 합니다. 물음에 답하세요.

❶ 벌집에 선을 3개 그어 삼각형 4개로 나누어 보세요.

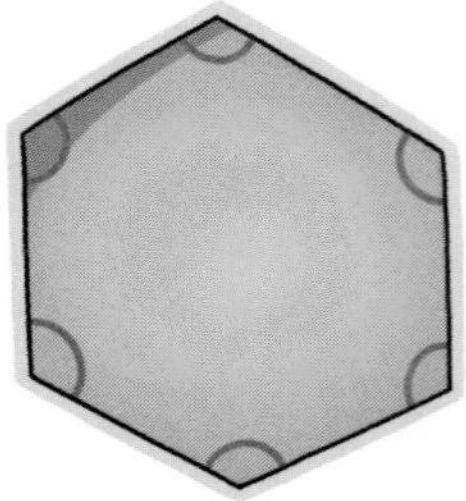

❷ 삼각형의 세 각의 크기의 합은 몇 도인지 써 보세요.

(　　　　　　　)

❸ 삼각형의 세 각의 크기의 합을 이용하여 벌집 안쪽에 있는 모든 각의 크기의 합을 구해 보세요.

(　　　　　　　)

2 주어진 수만큼 선을 그어 도형을 여러 개의 삼각형으로 나누고 표시된 모든 각의 크기의 합을 구해 보세요.

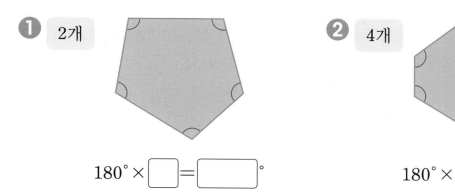

❶ 2개

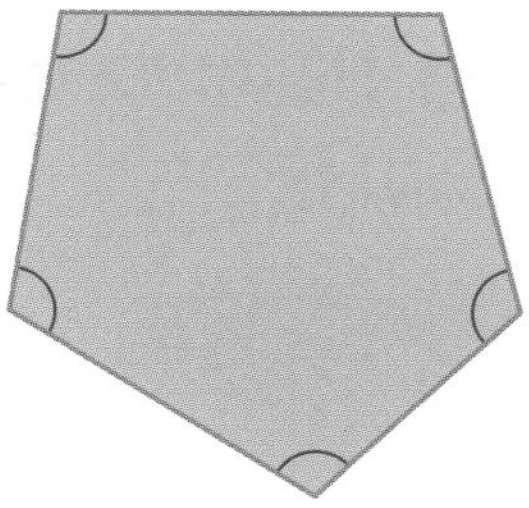

$180° \times \square = \square°$

❷ 4개

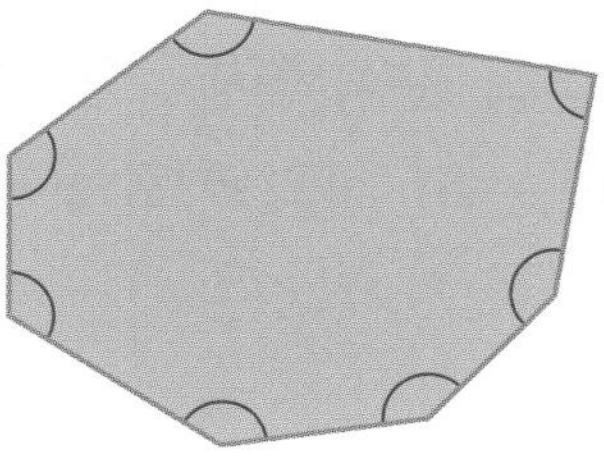

$180° \times \square = \square°$

3 주어진 수만큼 선을 그어 도형을 여러 개의 사각형으로 나누고 표시된 모든 각의 크기의 합을 구해 보세요.

❶ 1개

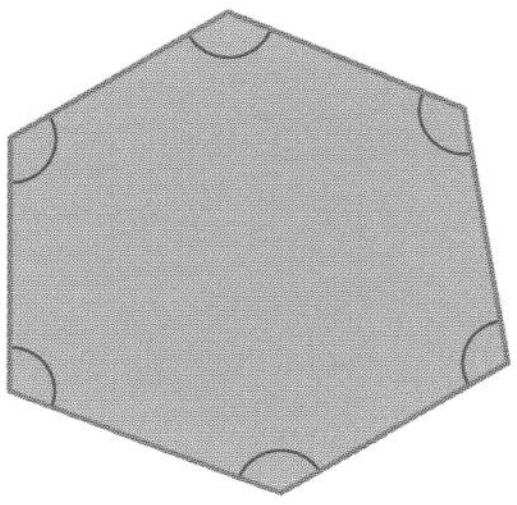

$360° \times \square = \square°$

❷ 2개

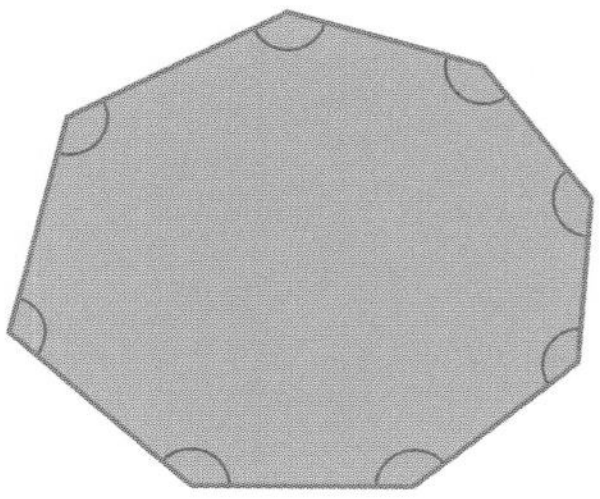

$360° \times \square = \square°$

4 도형에 표시된 모든 각의 크기의 합을 찾아 이어 보세요.

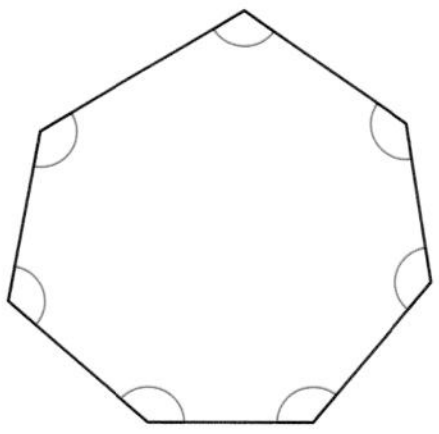

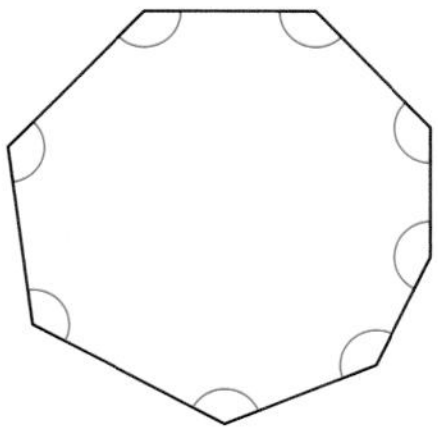

• 1080°

• 900°

• 720°

유형 5 접은 종이로 각의 크기 구하기 추론

1 그림과 같이 직사각형 모양의 종이의 한쪽을 75°만큼 접었습니다. 반대쪽은 얼마만큼 접혔는지 ㉠의 각도를 구하려고 합니다. 물음에 답하세요.

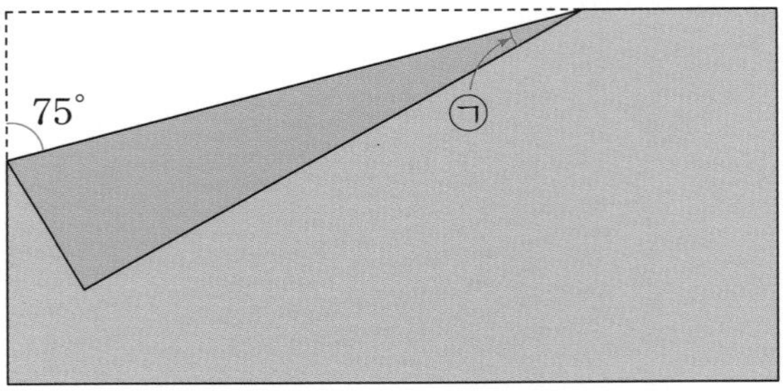

❶ 위 그림에서 직각인 각 5개를 찾아 직각 표시 ∟를 해 보세요.

❷ 직사각형 모양의 종이를 접은 모양에서 75°인 각을 찾아 75°로 표시해 보세요.

❸ ㉠의 각도를 구해 보세요.

( )

2 직사각형 모양의 종이를 그림과 같이 접었습니다. ㉠, ㉡, ㉢ 중 직각인 각과 20°인 각을 각각 찾아 기호를 써 보세요.

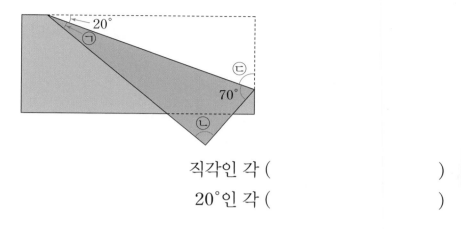

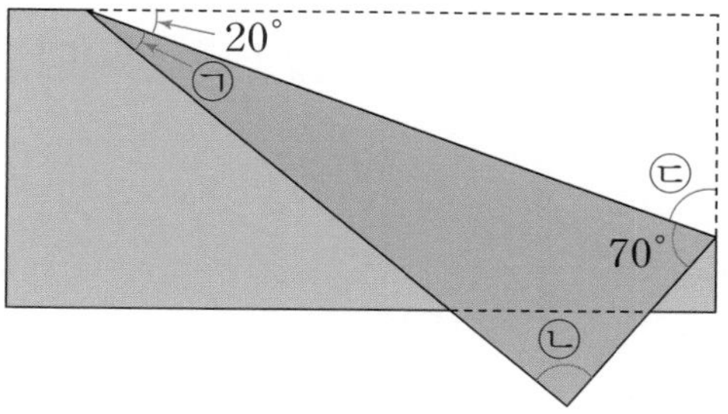

직각인 각 (　　　　　　　　)

20°인 각 (　　　　　　　　)

3 직사각형 모양의 종이를 그림과 같이 접었습니다. ㉠과 ㉡의 각도의 합을 구해 보세요.

❶

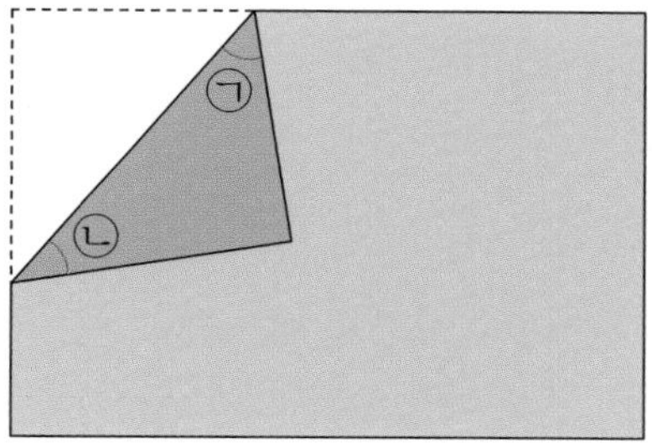

(　　　　　　　　)

❷

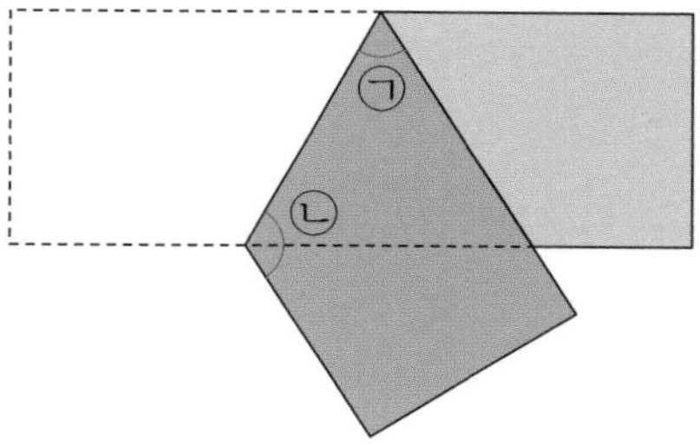

(　　　　　　　　)

4 직사각형 모양의 종이를 그림과 같이 접었습니다. □ 안에 알맞은 수를 써넣으세요.

❶

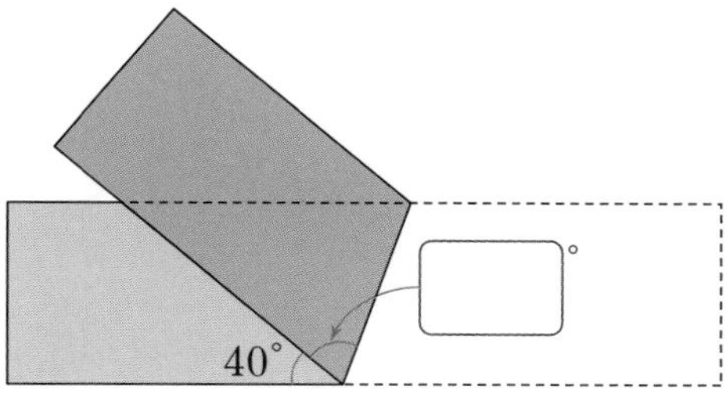

❷

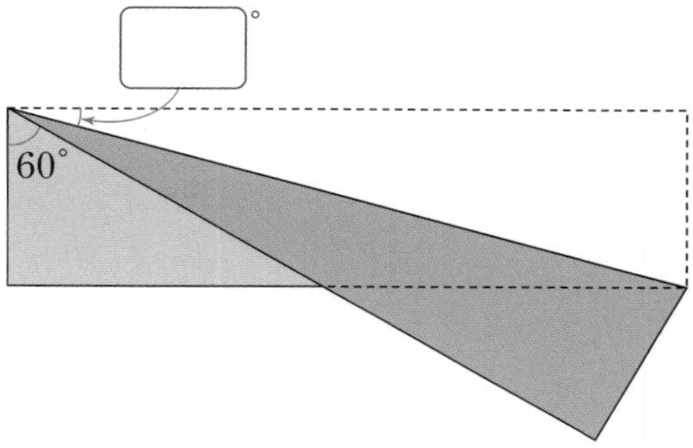

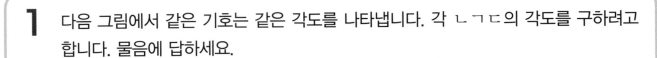

유형 6 삼각형의 세 각의 크기의 합 활용

문제 해결

1 다음 그림에서 같은 기호는 같은 각도를 나타냅니다. 각 ㄴㄱㄷ의 각도를 구하려고 합니다. 물음에 답하세요.

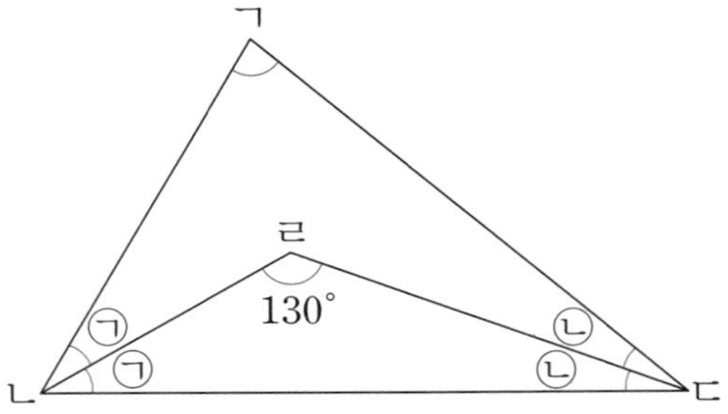

❶ 삼각형 ㄹㄴㄷ에서 ㉠과 ㉡의 각도의 합을 구하려고 합니다. □ 안에 알맞은 수를 써넣으세요.

㉠+㉡=□°−130°=□°

❷ 각 ㄱㄴㄷ과 각 ㄱㄷㄴ의 각도의 합을 구하려고 합니다. □ 안에 알맞은 기호나 수를 써넣으세요.

(각 ㄱㄴㄷ)+(각 ㄱㄷㄴ)=㉠+㉠+□+□=□°

❸ 각 ㄴㄱㄷ의 각도를 구해 보세요.

(　　　　　)

2 다음 그림에서 같은 기호는 같은 각도를 나타냅니다. □ 안에 알맞은 수를 써넣으세요.

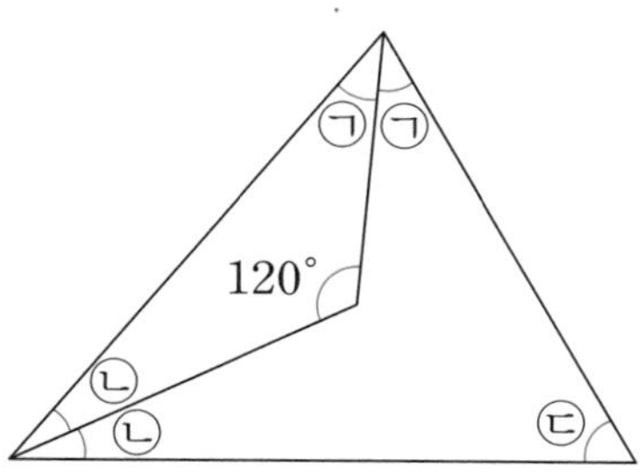

120°+㉠+㉡=□°

㉠+㉡=□°

㉠+㉠+㉡+㉡=□°

㉢=□°

3 다음 그림에서 같은 기호는 같은 각도를 나타냅니다. □ 안에 알맞은 수를 써넣으세요.

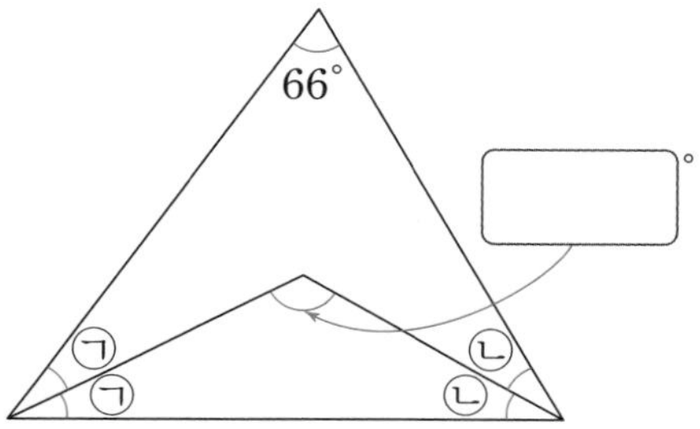

4 다음 그림에서 같은 기호는 같은 각도를 나타냅니다. 물음에 답하세요.

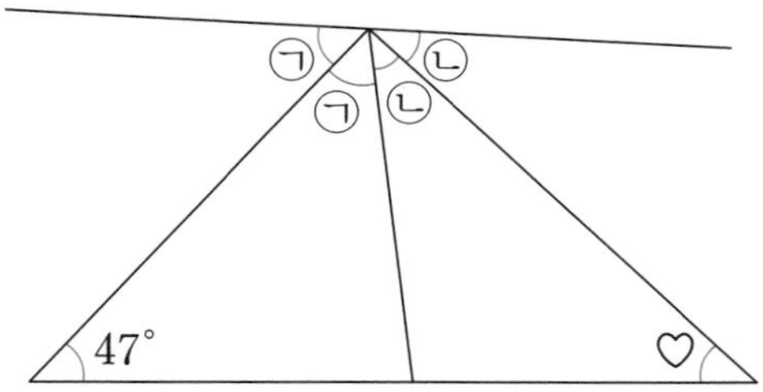

❶ ㉠과 ㉡의 각도의 합을 구하려고 합니다. □ 안에 알맞은 수를 써넣으세요.

㉠+㉠+㉡+㉡=□° ➔ ㉠+㉡=□°

❷ ♡의 각도를 구해 보세요.

(　　　　　　　　)

사고력 종합 평가

1 □ 안에 직각이 있는 삼각형은 '직', 둔각이 있는 삼각형은 '둔', 세 각이 모두 예각인 삼각형은 '예'라고 써넣으세요.

❶

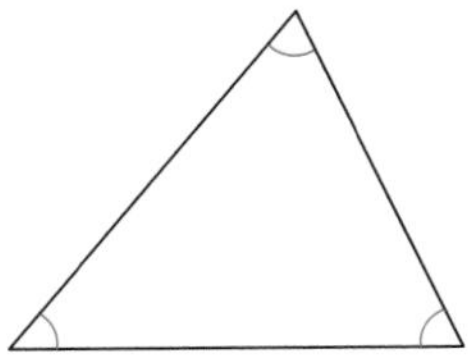

□

❷

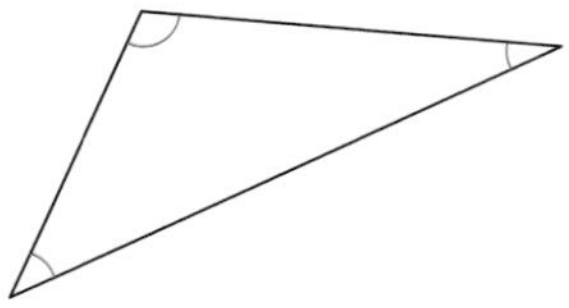

□

❸

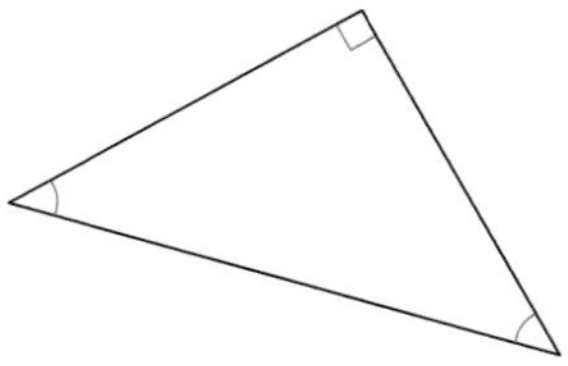

□

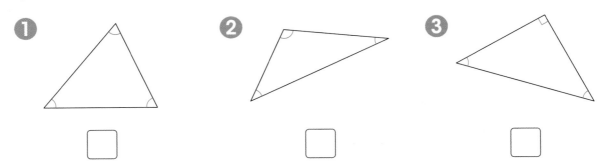

2 시각에 맞게 시계의 긴바늘을 그리고 시곗바늘이 이루는 작은 쪽의 각이 예각, 직각, 둔각 중 어느 것인지 써 보세요.

❶ 3시 25분

(　　　　　　　　)

❷ 1시 30분

(　　　　　　　　)

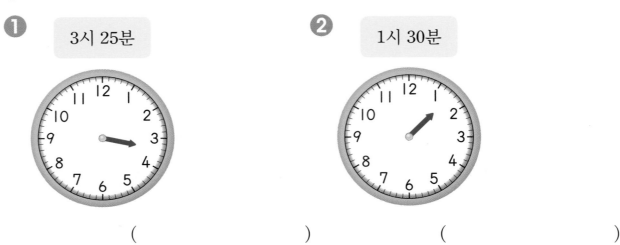

3 세 각이 모두 예각인 삼각형과 둔각이 있는 삼각형을 각각 그려 보세요.

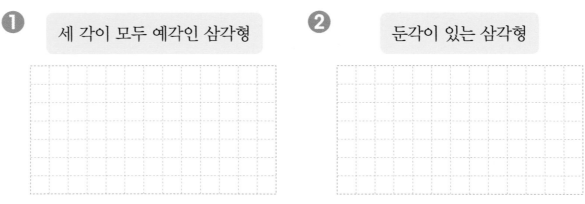

❶ 세 각이 모두 예각인 삼각형

❷ 둔각이 있는 삼각형

4 시계의 긴바늘과 짧은바늘이 이루는 작은 쪽의 각도를 구해 보세요.

( )

5 다음 도형을 보고 물음에 답하세요.

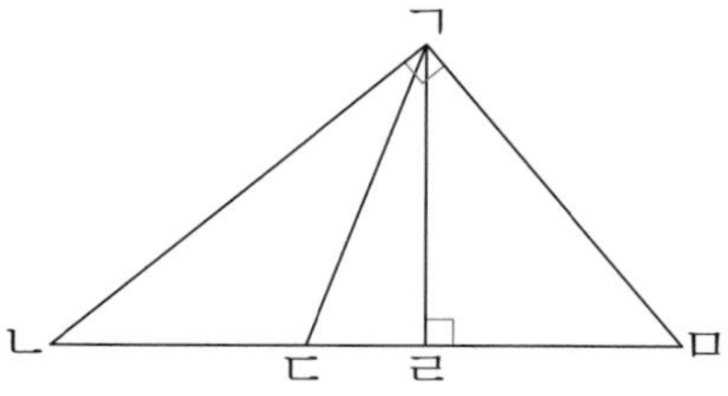

① 둔각을 찾아 써 보세요.

( )

② 위 도형에서 세 각이 모두 예각인 삼각형을 찾아 색칠해 보세요.

6 직사각형 모양의 종이를 그림과 같이 접었습니다. □ 안에 알맞은 수를 써넣으세요.

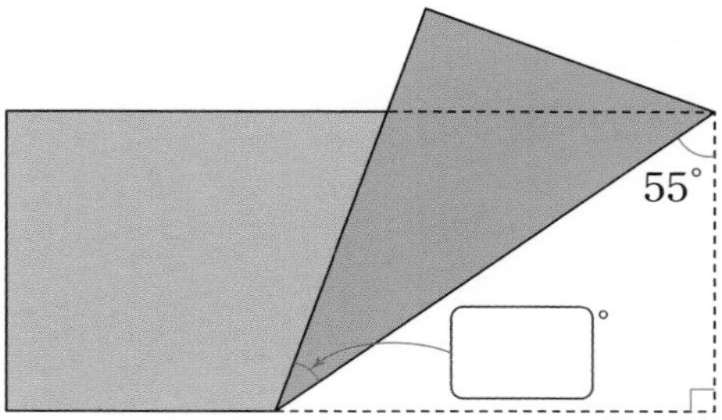

7 사자자리는 봄 무렵 남쪽 하늘에서 볼 수 있는 별자리입니다. 사자자리의 몸통 부분에 표시된 모든 각의 크기의 합을 구해 보세요.

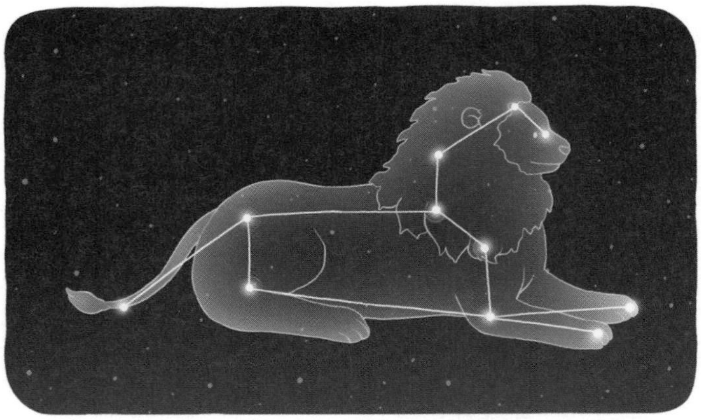

(　　　　　　　　　　)

8 직선을 그어 만든 도형입니다. □ 안에 알맞은 수를 써넣으세요.

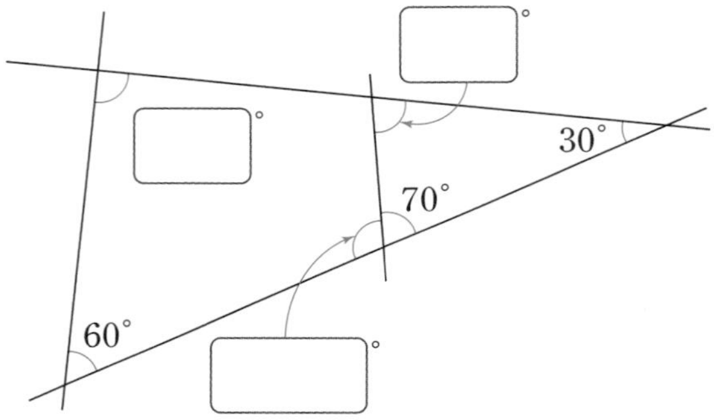

9 ㉮와 ㉯ 시계에서 시곗바늘이 이루는 작은 쪽의 각도의 차를 구해 보세요.

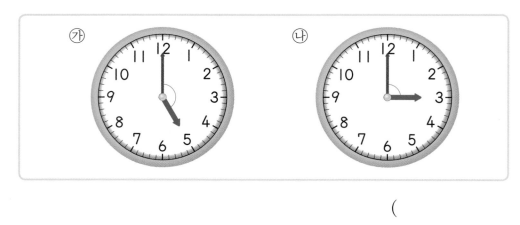

(　　　　　　　　　　)

10 다음 그림에서 같은 모양은 같은 각도를 나타냅니다. □ 안에 알맞은 수를 써넣으세요.

❶

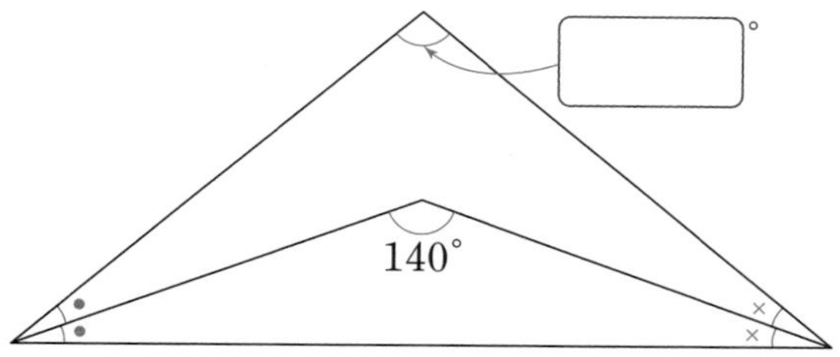

❷

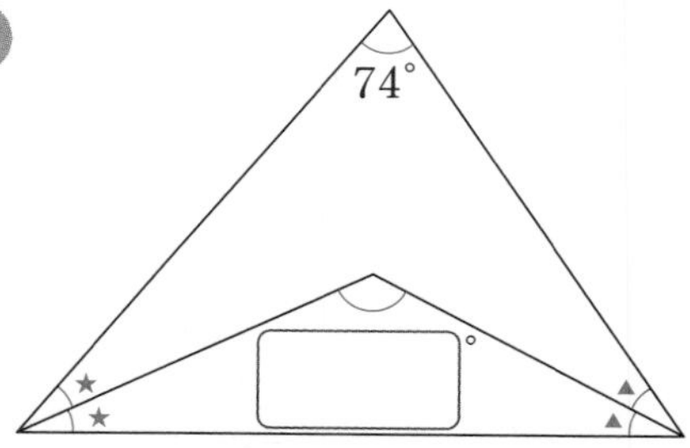

11 직사각형 모양의 종이를 그림과 같이 접었을 때 각 ㄴㄱㅁ의 각도를 구하려고 합니다. 물음에 답하세요.

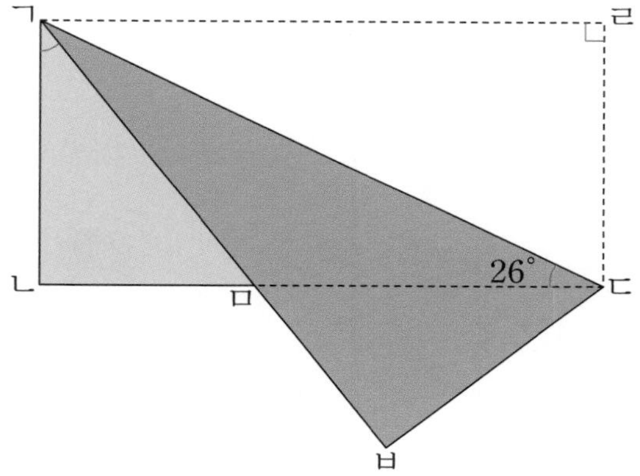

❶ 각 ㄱㄷㄹ의 각도를 구해 보세요.

( )

❷ 각 ㅂㄱㄷ의 각도를 구해 보세요.

( )

❸ 각 ㄴㄱㅁ의 각도를 구해 보세요.

( )

12 다음은 타일을 깨서 모자이크 방식으로 만든 가우디의 작품입니다. 깨진 타일 조각을 보고 □ 안에 알맞은 수를 써넣으세요.

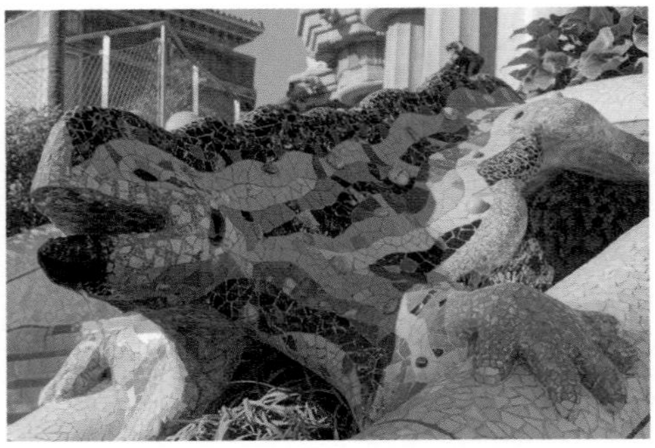

▲ 바르셀로나 구엘공원의 도마뱀 조각상

❶

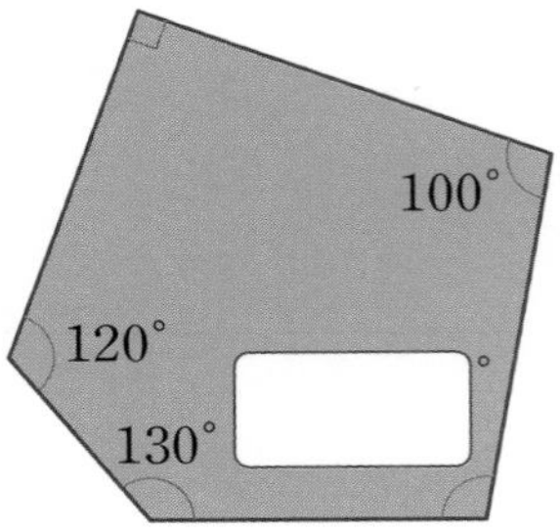

❷

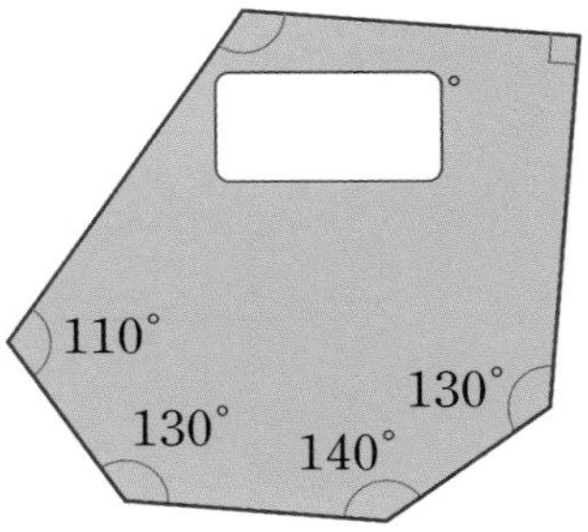

13 다연이가 케이크를 3번 만에 자른 것입니다. 각도가 같은 케이크 조각에 올려진 과일끼리 선으로 이어 보세요.

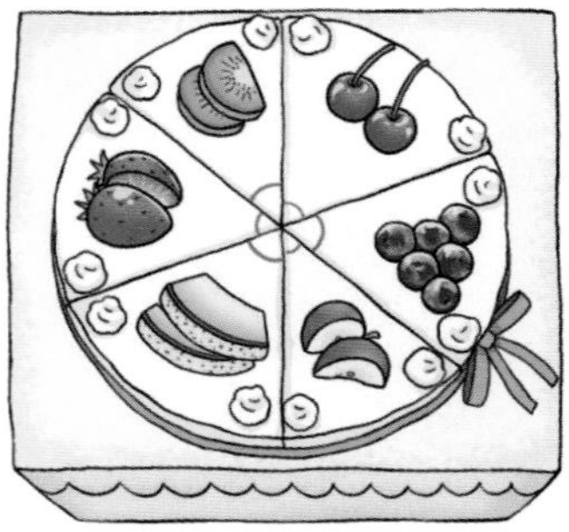

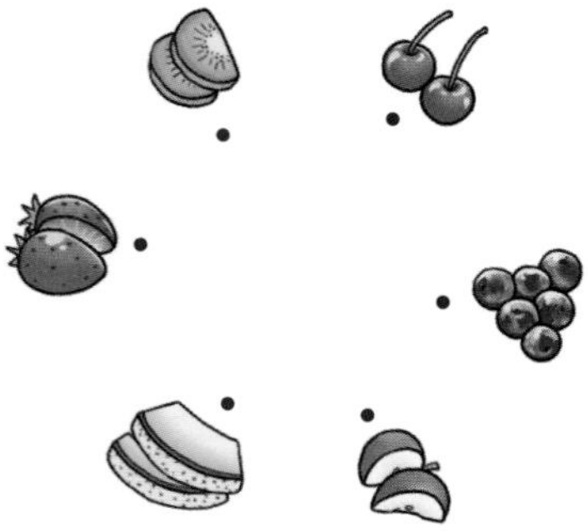

14 도형에서 각 ㄴㄱㄷ의 각도를 구해 보세요.

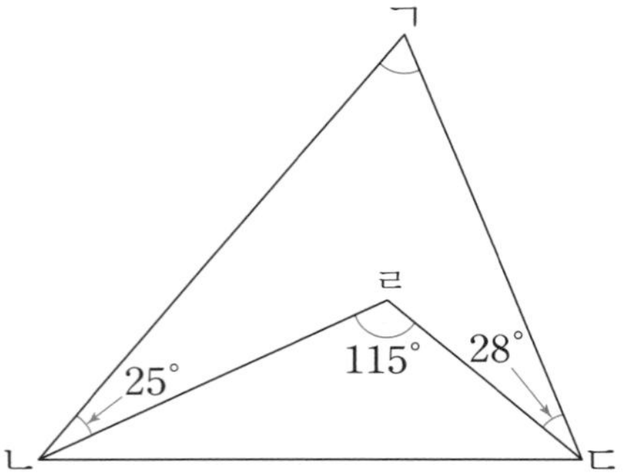

삼각형 ㄹㄴㄷ을 이용해서 문제를 해결해 보자.

(　　　　　　　　)

3 곱셈과 나눗셈

(세 자리 수)×(몇십)

• (세 자리 수)×(몇십)의 계산

$$\begin{array}{r} 173 \\ \times \quad 3 \\ \hline 519 \end{array} \rightarrow \begin{array}{r} 173 \\ \times \quad 30 \\ \hline 5190 \end{array}$$

519 ─ 10배 → 5190

• (몇백)×(몇십)의 계산

$4\times8=32$

$400\times80=32000$

0이 3개

(세 자리 수)×(두 자리 수)

• (세 자리 수)×(두 자리 수)의 계산

$$\begin{array}{r} 249 \\ \times \quad 30 \\ \hline 7470 \end{array} \quad \begin{array}{r} 249 \\ \times \quad 6 \\ \hline 1494 \end{array} \rightarrow \begin{array}{r} 249 \\ \times \quad 36 \\ \hline 1494 \\ 747 \\ \hline 8964 \end{array}$$

(세 자리 수)÷(몇십)

• (세 자리 수)÷(몇십)의 계산

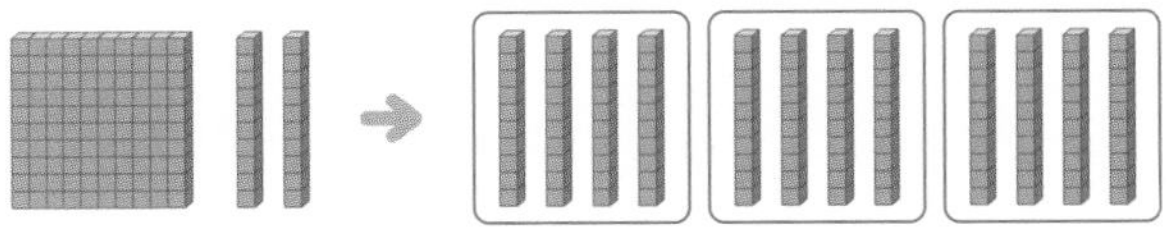

십 모형 12개를 십 모형 4개씩 묶으면 3묶음입니다. → $120\div40=3$

(12개 → 120, 4개 → 40)

(두 자리 수)÷(두 자리 수)

• 나누어떨어지는 (두 자리 수)÷(두 자리 수)

$23\times2=46$

$23\times3=69$

$23\times4=92$

$$\begin{array}{r} 4 \\ 23\overline{)92} \\ 92 \\ \hline 0 \end{array}$$

0 ← 나누어떨어집니다.

→ $92\div23=4$

확인하기 $23\times4=92$

(세 자리 수)÷(두 자리 수)

• 몫이 한 자리 수인 (세 자리 수)÷(두 자리 수)

$45\times7=315$

$45\times8=360$

$45\times9=405$

$$\begin{array}{r} 8 \\ 45\overline{)387} \\ 360 \\ \hline 27 \end{array}$$

8 ← 몫, 27 ← 나머지

→ $387\div45=8\cdots27$

확인하기 $45\times8=360$, $360+27=387$

• 몫이 두 자리 수인 (세 자리 수)÷(두 자리 수)

$12\times40=480$

$12\times50=600$

$12\times60=720$

$12\times6=72$

$12\times7=84$

$12\times8=96$

$$\begin{array}{r} 57 \\ 12\overline{)692} \\ 60 \\ \hline 92 \\ 84 \\ \hline 8 \end{array}$$

57 ← 몫, 8 ← 나머지

→ $692\div12=57\cdots8$

확인하기 $12\times57=684$, $684+8=692$

유형 1 필요한 나무의 수 구하기

문제 해결

1 길이가 180 m인 산책로의 한쪽에 처음부터 끝까지 20 m 간격으로 나무를 심으려고 합니다. 필요한 나무는 모두 몇 그루인지 구하려고 할 때, 물음에 답하세요. (단, 나무의 두께는 생각하지 않습니다.)

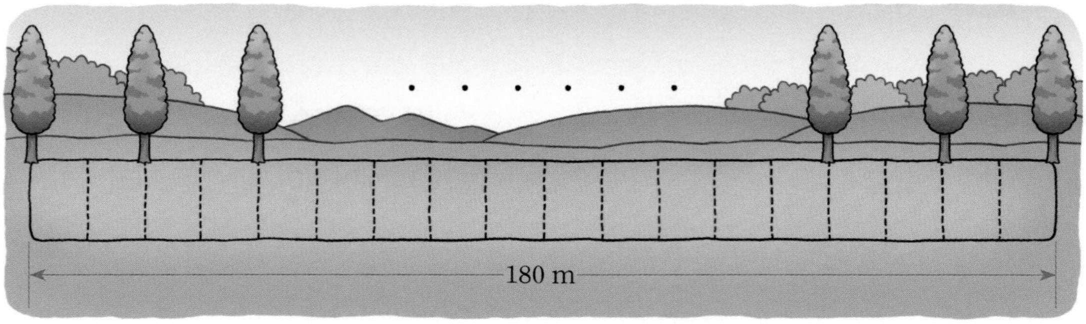

❶ 도로의 한쪽에 심는 나무 사이의 간격은 몇 군데일까요?

(　　　　　　　　)

❷ 나무 사이의 간격 수와 필요한 나무의 수 사이에는 어떤 관계가 있는지 □ 안에 알맞은 수를 써넣으세요.

(필요한 나무의 수)=(나무 사이의 간격 수)+□

❸ 필요한 나무는 모두 몇 그루일까요?

(　　　　　　　　)

2 길이가 312 cm인 조명대에 처음부터 끝까지 26 cm 간격으로 조명을 달려고 합니다. 필요한 조명은 모두 몇 개인지 구해 보세요. (단, 조명의 두께는 생각하지 않습니다.)

( )

3 길이가 208 m인 도로의 양쪽에 처음부터 끝까지 가로등을 설치하려고 합니다. 도로의 맨 앞에서부터 16 m 간격으로 가로등을 설치한다면 필요한 가로등은 모두 몇 개인지 구해 보세요. (단, 가로등의 두께는 생각하지 않습니다.)

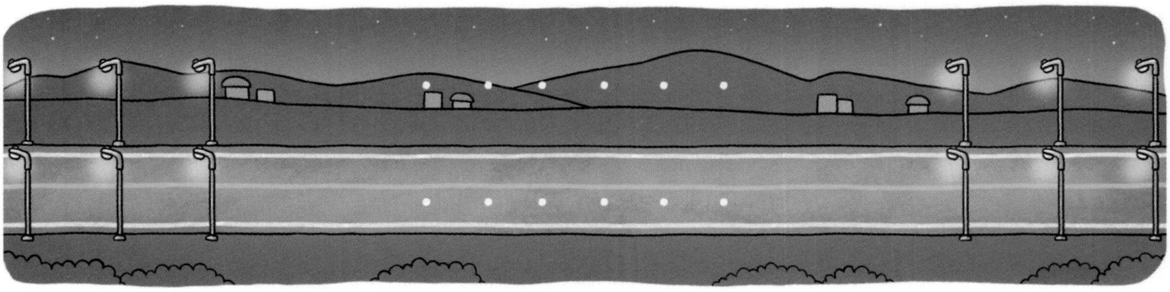

( )

유형 2 통나무를 자르는 데 걸리는 시간 문제 해결

1 준오의 아버지는 목수입니다. 아버지는 통나무를 7도막으로 자르려고 합니다. 통나무를 한 번 자르는 데 160초가 걸린다면 7도막으로 자르는 데 몇 분이 걸리는지 구하려고 합니다. 물음에 답하세요.

❶ 통나무를 자른 횟수와 통나무 도막 수 사이의 관계를 구하려고 합니다. □ 안에 알맞은 수를 써넣으세요.

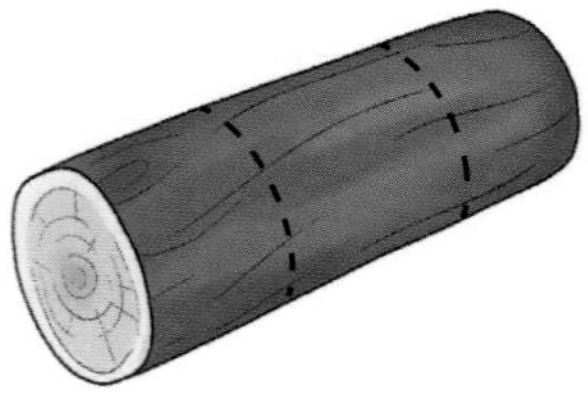

통나무를 1번 잘랐을 때 통나무 도막 수: □도막

통나무를 2번 잘랐을 때 통나무 도막 수: □도막

➜ (통나무를 자른 횟수)+□=(통나무 도막 수)

❷ 통나무를 7도막으로 자르려면 통나무를 몇 번 잘라야 할까요?

( )

❸ 통나무를 7도막으로 자르는 데 몇 분이 걸릴까요?

( )

2 어머니께서는 봉사 활동으로 빵을 똑같은 길이로 잘라서 13명에게 나누어 주려고 합니다. 빵을 한 번 자르는 데 11초가 걸린다면 13조각으로 자르는 데 몇 초가 걸리는지 구해 보세요.

(　　　　　　　　)

3 유하는 길이가 72 cm인 리본 끈을 4 cm씩 일정한 길이로 자르려고 합니다. 한 번 자르는 데 10초가 걸린다면 다 자르는 데 몇 분 몇 초가 걸리는지 구해 보세요.

(　　　　　　　　)

유형 3 곱이 가장 큰 곱셈식

추론

1 상자 안에 있는 0부터 9까지의 수 카드 중에서 아래와 같은 5장의 수 카드를 뽑았습니다. 수 카드를 모두 한 번씩만 사용하여 만들 수 있는 (세 자리 수)×(두 자리 수)의 곱셈식 중에서 곱이 가장 큰 곱셈식을 만들려고 합니다. 물음에 답하세요.

❶ 곱이 가장 크게 되려면 곱하는 두 수의 가장 높은 자리에 가장 큰 수를 써야 합니다. 다음을 보고 오른쪽 알맞은 자리에 가장 큰 수와 두 번째로 큰 수를 써넣으세요.

❷ 남은 세 수의 크기를 비교하여 곱셈식을 완성하려고 합니다. 다음을 보고 오른쪽 알맞은 자리에 남은 세 수를 써넣으세요.

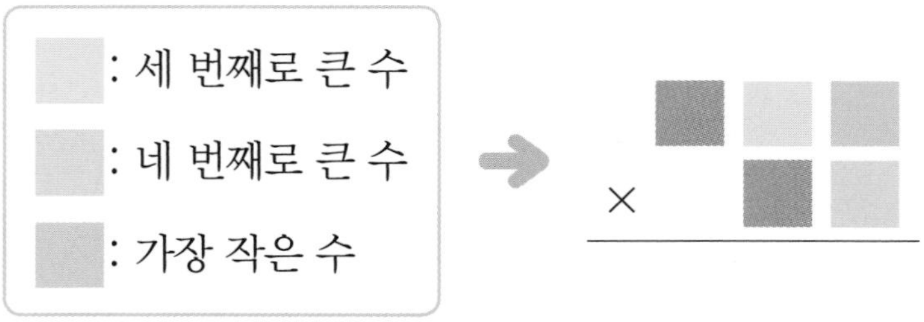

❸ 곱이 가장 큰 곱셈식을 만들고 계산해 보세요.

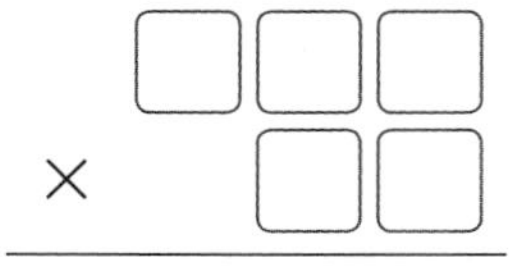

정답과 풀이 11쪽

2 5장의 수 카드를 모두 한 번씩만 사용하여 (세 자리 수)×(두 자리 수)의 곱셈식을 만들려고 합니다. 만들 수 있는 식 중에서 곱이 가장 큰 곱셈식을 완성하고 계산해 보세요.

6 1 3 7 4 ➜

$$\begin{array}{r} \square\ 4\ 1 \\ \times\ \ \square\,\square \\ \hline \end{array}$$

3 5장의 수 카드를 모두 한 번씩만 사용하여 곱이 가장 큰 (세 자리 수)×(두 자리 수)의 곱셈식을 만들고 계산해 보세요.

0 5 1 9 6 ➜

$$\begin{array}{r} \square\,\square\,\square \\ \times\ \ \square\,\square \\ \hline \end{array}$$

4 다섯 자리 수의 각 자리의 숫자를 모두 한 번씩만 사용하여 (세 자리 수)×(두 자리 수)의 곱셈식을 만들려고 합니다. 만들 수 있는 식 중에서 곱이 가장 큰 곱셈식을 만들고 계산해 보세요.

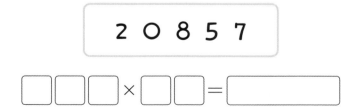

2 0 8 5 7

$\square\square\square \times \square\square = \square$

곱셈 상자와 나눗셈 상자

1 어떤 수를 넣으면 계산이 되어 나오는 곱셈 상자와 나눗셈 상자가 있습니다. 어떤 수를 곱셈 상자에 넣어야 할 것을 잘못하여 나눗셈 상자에 넣었더니 몫이 13이고 나머지가 17이었습니다. 어떤 수를 곱셈 상자에 넣었을 때의 값을 구하려 할 때, 물음에 답하세요.

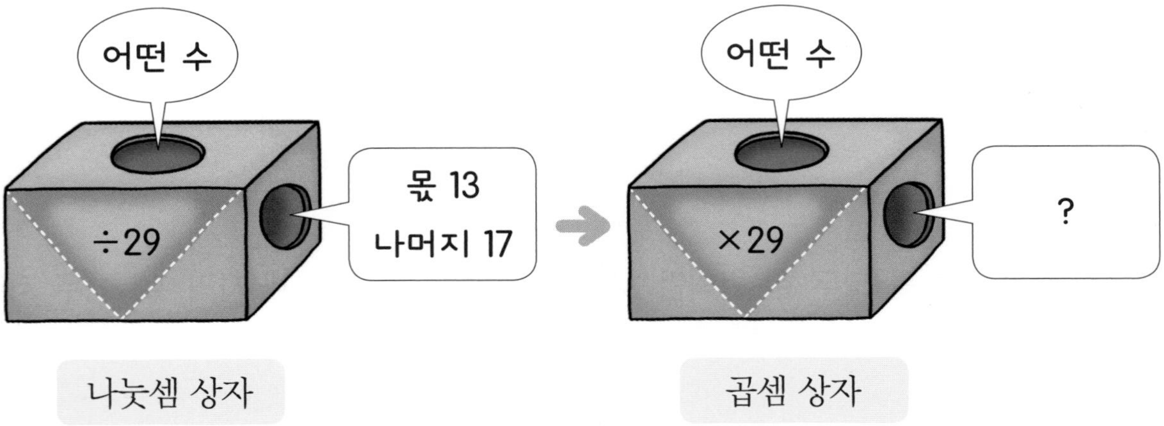

❶ 어떤 수를 □라 하여 나눗셈 상자에서 계산된 나눗셈식을 써 보세요.

나눗셈식 ______________________

❷ 위 ❶의 나눗셈식을 이용하여 어떤 수를 구해 보세요.

( )

❸ 위 ❷에서 구한 어떤 수를 이용하여 바르게 계산한 값을 구해 보세요.

$$\begin{array}{r} \square \\ \times \quad 2\ 9 \\ \hline \end{array}$$

2 나눗셈 상자에 어떤 수를 넣고 20으로 나누어야 할 것을 잘못하여 25로 나누었더니 몫이 17, 나머지가 16이 되어 나왔습니다. 바르게 계산했을 때 상자에서 나오는 몫과 나머지를 구해 보세요.

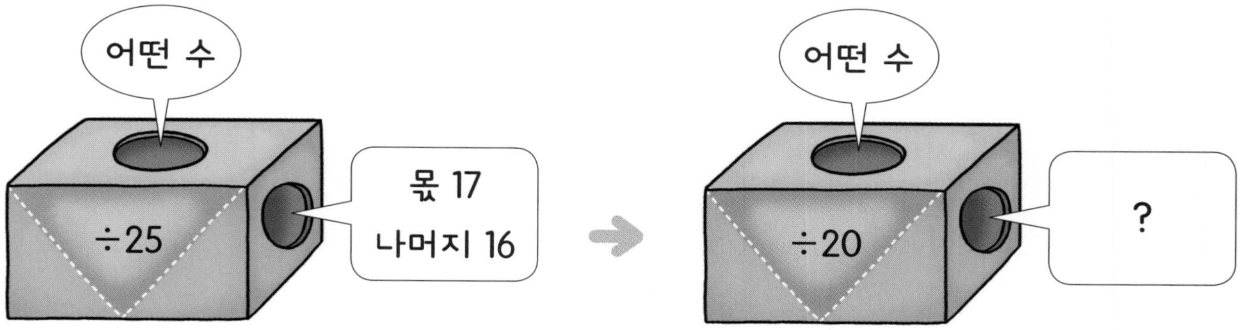

몫 (　　　　　　　　)

나머지 (　　　　　　　　)

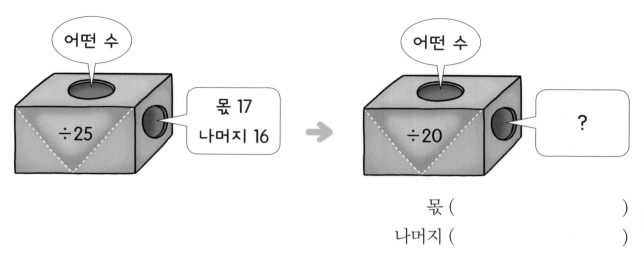

3 나눗셈 상자에 어떤 수를 넣었더니 몫이 7, 나머지가 ■가 되어 나왔습니다. 어떤 수가 될 수 있는 수 중에서 가장 큰 수는 얼마일까요?

(　　　　　　　　)

유형 5 곱셈식에서 가려진 수 구하기

추론

1 은하는 물감 놀이를 하던 중 실수로 곱셈을 푼 종이에 물감이 튀었습니다. 물감에 가려져 보이지 않는 수를 구하려고 합니다. 물음에 답하세요.

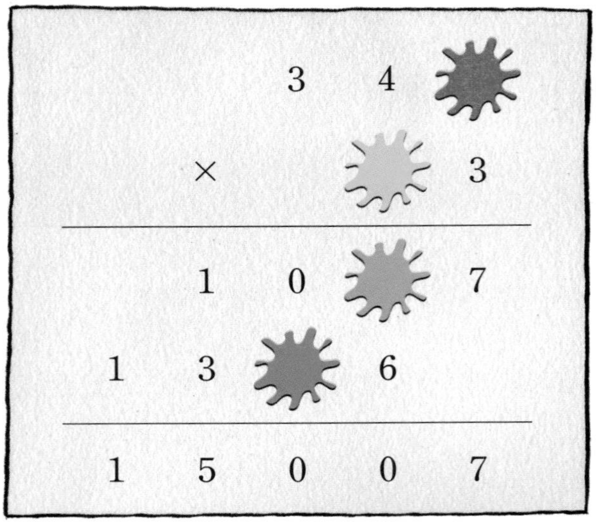

❶ 에 알맞은 수를 찾아 ○표 하세요.

0, 1, 2, 3, 4, 5, 6, 7, 8, 9

❷ 에 알맞은 수를 찾아 ○표 하세요.

0, 1, 2, 3, 4, 5, 6, 7, 8, 9

❸ 에 알맞은 수를 찾아 ○표 하세요.

0, 1, 2, 3, 4, 5, 6, 7, 8, 9

❹ 에 알맞은 수를 찾아 ○표 하세요.

0, 1, 2, 3, 4, 5, 6, 7, 8, 9

2 숙제로 곱셈 문제를 푼 것을 동생이 지웠습니다. □ 안에 알맞은 수를 써넣어 숙제를 되돌려 보세요.

❶

		5	3	□
	×		□	7
	3	□	5	9
2	1	4	8	
2	5	2	3	9

❷

		4	2	1
	×		8	□
	3	7	8	9
3	□	6	8	
3	7	□	6	9

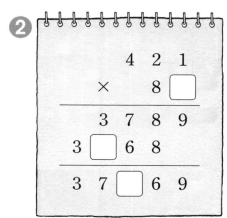

3 5개의 숫자가 가려진 곱셈식이 있습니다. 가려진 수를 찾아 곱셈식을 완성하여 암호문을 만들려고 합니다. 물음에 답하세요.

		2	9	㉠
	×		■	6
	1	■	4	6
	■	7	3	
1	0	■	7	6

→

		2	9	□
	×		□	6
	1	□	4	6
	□	7	3	
1	0	□	7	6

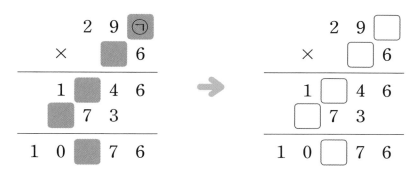

❶ ㉠에 알맞은 수를 찾아 ○표 하세요.

0, 1, 2, 3, 4, 5, 6, 7, 8, 9

❷ 위 곱셈식의 □ 안에 알맞은 수를 써넣으세요.

❸ 위 ❷에서 구한 □ 안의 숫자를 위에서부터 차례로 알파벳으로 나타내어 암호문을 만들려고 합니다. 만들어지는 암호문을 써 보세요.

G1 I2 R3 T4 S5 U6 E7 A8 X9 → (　　　　)

유형 6 나눗셈식에서 가려진 수 구하기

1 색연필로 가려져 보이지 않는 수를 구하려고 합니다. 물음에 답하세요.

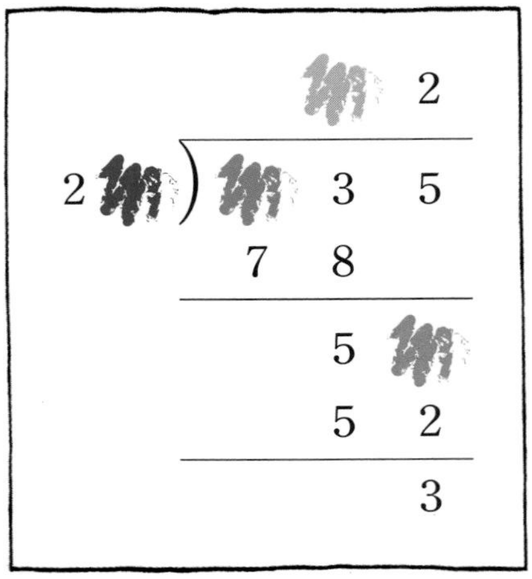

❶  에 알맞은 수를 찾아 ◯표 하세요.

0, 1, 2, 3, 4, 5, 6, 7, 8, 9

❷  에 알맞은 수를 찾아 ◯표 하세요.

0, 1, 2, 3, 4, 5, 6, 7, 8, 9

❸  에 알맞은 수를 찾아 ◯표 하세요.

0, 1, 2, 3, 4, 5, 6, 7, 8, 9

❹  에 알맞은 수를 찾아 ◯표 하세요.

0, 1, 2, 3, 4, 5, 6, 7, 8, 9

2 숙제로 나눗셈 문제를 푼 것을 동생이 지웠습니다. □ 안에 알맞은 수를 써넣어 숙제를 되돌려 보세요.

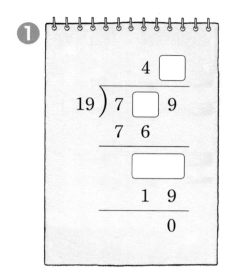

❶

```
        4 □
    ┌──────
 19 ) 7 □ 9
      7 6
    ──────
        □
      1 9
    ──────
        0
```

❷

```
        3 7
    ┌──────
 1□ ) 6 7 6
      □ 4
    ──────
      1 3 6
      1 □ 6
    ──────
        1 0
```

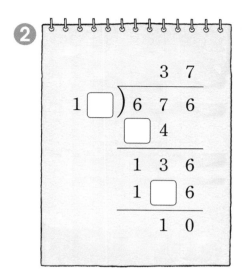

3 꿈에서 수학 마녀에게 붙잡힌 용수는 나눗셈식을 완성해야 무사히 빠져나갈 수 있습니다. $34 \times 6 = 204$임을 이용하여 나눗셈식을 완성해 보세요.

사고력 종합 평가

1 길이가 221 m인 도로의 한쪽에 17 m 간격으로 처음부터 끝까지 나무를 심으려고 합니다. 필요한 나무는 모두 몇 그루인지 구해 보세요. (단, 나무의 두께는 생각하지 않습니다.)

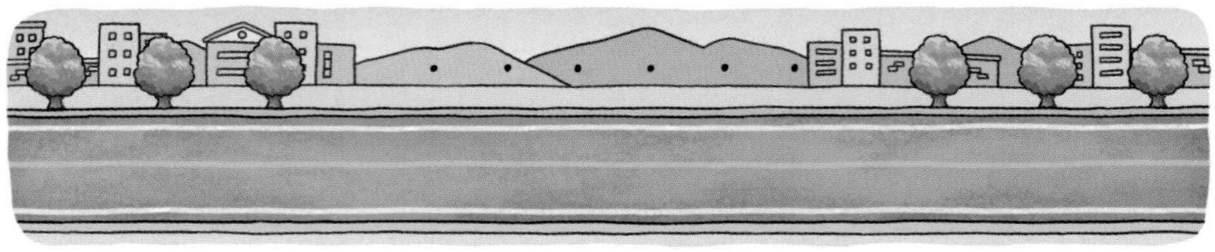

(　　　　　　　　)

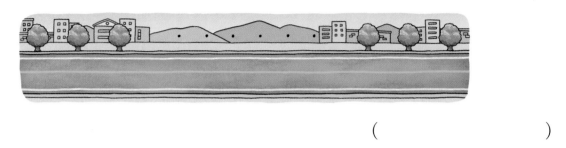

2 나무 막대를 12도막으로 자르려고 합니다. 나무 막대를 한 번 자르는 데 43초가 걸린다면 12도막으로 자르는 데 몇 분 몇 초가 걸리는지 구해 보세요.

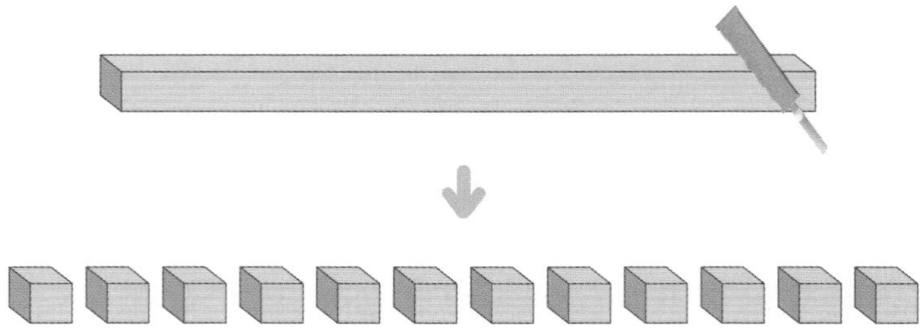

(　　　　　　　　)

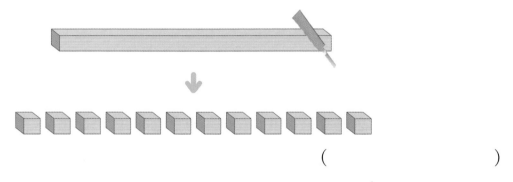

3 은종이네 과수원에서 수확한 사과를 한 상자에 14개씩 담았더니 105상자가 되고 사과 4개가 남았습니다. 은종이네 과수원에서 수확한 사과는 모두 몇 개일까요?

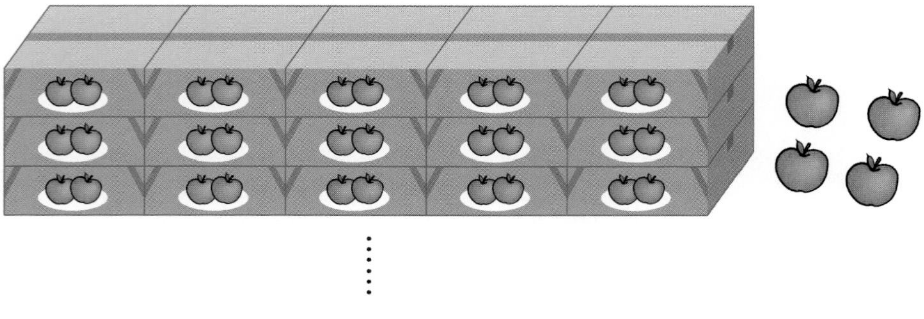

(　　　　　　　　)

4 5장의 수 카드 [9], [1], [4], [5], [2]를 모두 한 번씩만 사용하여 만들 수 있는 (세 자리 수)×(두 자리 수)의 곱셈식 중에서 곱이 가장 큰 곱셈식을 만들고 계산 결과를 암호문에 맞게 알파벳으로 나타내어 보세요.

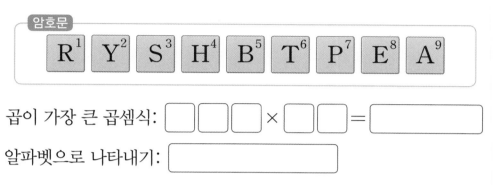

암호문

R	Y	S	H	B	T	P	E	A
1	2	3	4	5	6	7	8	9

곱이 가장 큰 곱셈식: □□□ × □□ = □

알파벳으로 나타내기: □

5 □ 안에 알맞은 수를 써넣으세요.

❶
$$\begin{array}{r} 5\ 1\ 8 \\ \times\ \ \square\ 0 \\ \hline 3\ 1\ \square\ 8\ 0 \end{array}$$

❷
$$\begin{array}{r} 4\ 1\ \square \\ \times\ \ 7\ 0 \\ \hline 2\ \square\ 3\ 3\ \square \end{array}$$

6 무거운 통나무를 옮기기 위해 15도막으로 자르려고 합니다. 한 번 자르는 데 35초가 걸린다면 통나무를 15도막으로 자르는 데 모두 몇 분 몇 초가 걸리는지 구해 보세요.

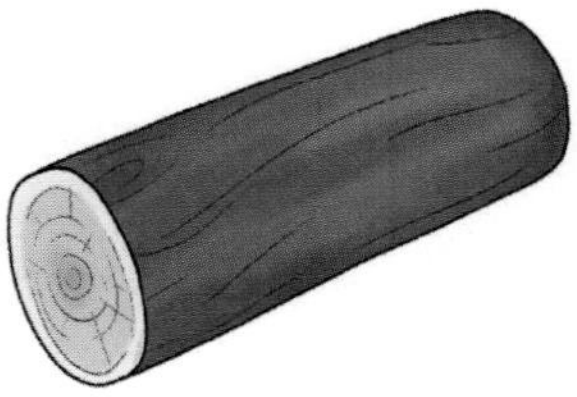

(　　　　　　　　)

7 □ 안에 알맞은 수를 써넣으세요.

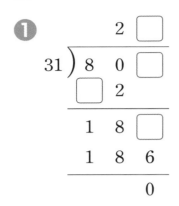

❶

$$\begin{array}{r} 2\square \\ 31\overline{)\,80\square} \\ \underline{\square 2} \\ 18\square \\ \underline{186} \\ 0 \end{array}$$

❷

$$\begin{array}{r} 25 \\ 1\square\overline{)\,3\square 0} \\ \underline{24} \\ \square 0 \\ \underline{6\square} \\ 10 \end{array}$$

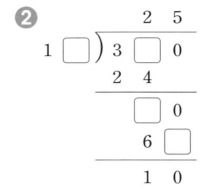

8 어떤 수에 39를 곱해야 할 것을 잘못하여 93으로 나누었더니 몫이 8이고, 나머지가 27이었습니다. 바르게 계산한 값은 얼마인지 구해 보세요.

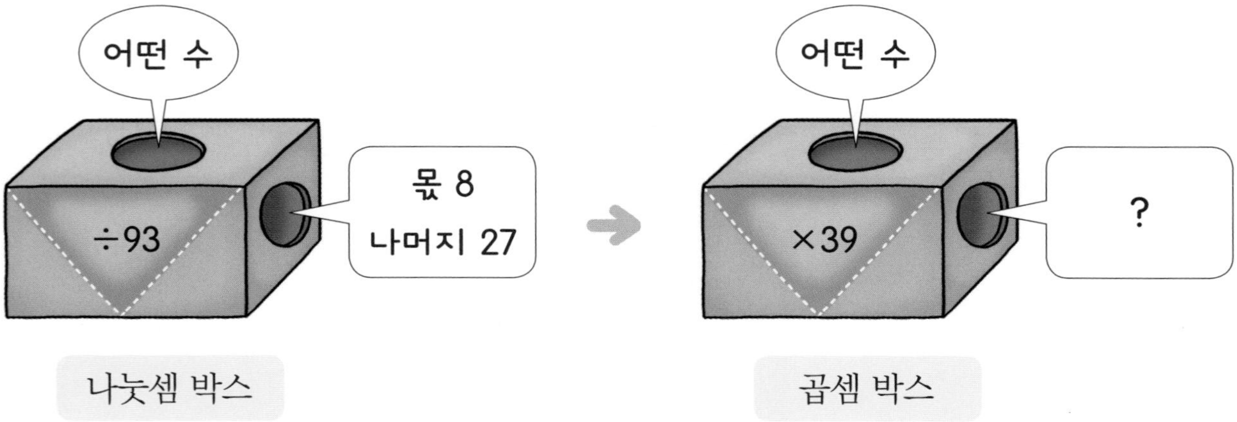

(　　　　　　　　　　)

9 쇠막대 한 개를 19도막으로 자르려고 합니다. 쇠막대를 한 번 자르는 데 다음과 같은 금액이 필요하다면 19도막으로 자르는 데 필요한 금액은 얼마인지 구해 보세요.

(　　　　　　　　　　)

10 8월 15일은 우리나라가 일본으로부터 해방된 것을 기념하는 광복절입니다. 광복절을 맞아 길이가 234 m인 도로의 양쪽에 처음부터 끝까지 태극기를 달려고 합니다. 도로의 맨 앞에서부터 13 m 간격으로 태극기를 달 때 필요한 태극기는 모두 몇 개일까요? (단, 태극기의 두께는 생각하지 않습니다.)

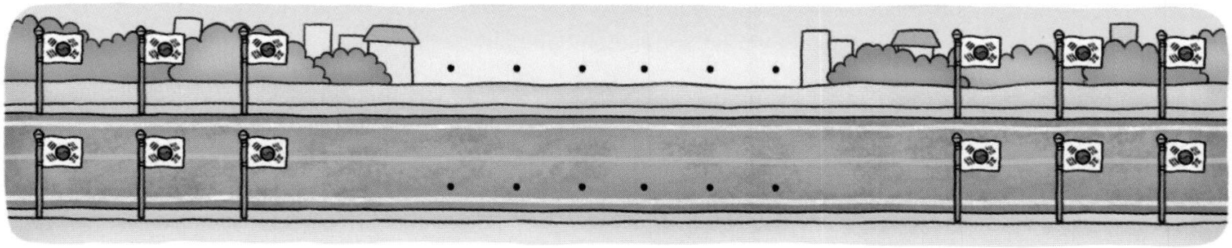

(　　　　　　　　)

3 단원

11 길이가 546 m인 도로의 한쪽에 처음부터 끝까지 같은 간격으로 가로수 14그루를 심었습니다. 가로수 사이의 간격은 몇 m일까요? (단, 가로수의 두께는 생각하지 않습니다.)

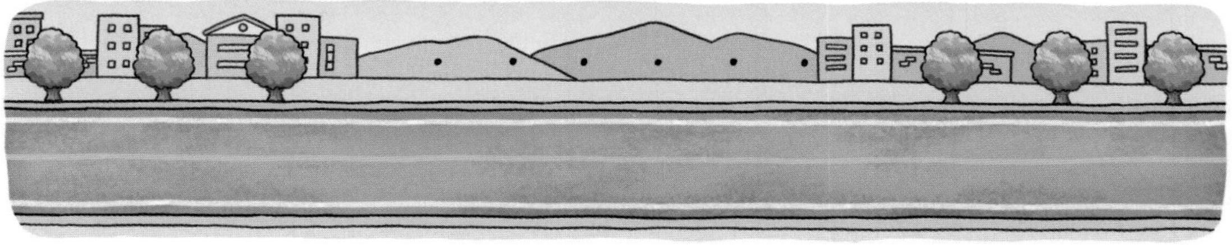

(　　　　　　　　)

12 왼쪽 곱셈식을 보고 □ 안에 알맞은 수를 써넣으세요.

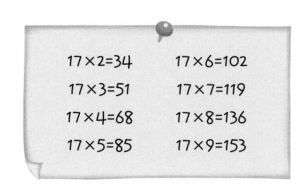

17×2=34	17×6=102
17×3=51	17×7=119
17×4=68	17×8=136
17×5=85	17×9=153

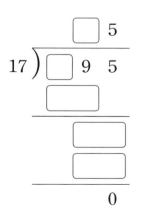

```
        □ 5
17 ) □ 9 5
     □
     ----
        □
        □
     ----
        0
```

13 □ 안에 들어갈 수 있는 자연수 중에서 가장 큰 수를 구해 보세요.

$\square \div 53 = 16 \cdots ●$

(   )

14 □ 안에 알맞은 수를 써넣어 곱셈식을 완성해 보세요.

$$\begin{array}{r} 4\,\square\,3 \\ \times \quad 2\,7 \\ \hline \square\,2\,4\,1 \\ \square\square\square\square \\ \hline \square\square\square\square\square \end{array}$$

파란색 4는
3×7=21에서
올림한 2가
더해진 값이야.

15 주사위 5개를 던져서 나온 눈의 수가 다음과 같습니다. 주사위 눈의 수를 모두 한 번씩만 사용하여 곱셈식을 만들고 계산해 보세요.

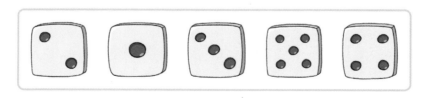

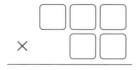

❶ 곱이 가장 큰 곱셈식

$$\begin{array}{r} \square\square\square \\ \times \quad \square\square \\ \hline \end{array}$$

❷ 곱이 가장 작은 곱셈식

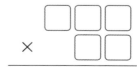

$$\begin{array}{r} \square\square\square \\ \times \quad \square\square \\ \hline \end{array}$$

4 평면도형의 이동

평면도형을 밀기

- 도형을 어느 방향으로 밀어도 모양은 변하지 않고 위치만 바뀝니다.

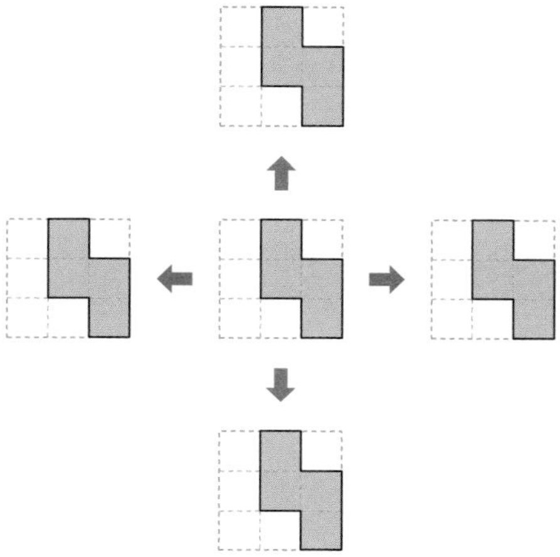

평면도형을 뒤집기

- 도형을 왼쪽이나 오른쪽으로 뒤집으면 도형의 왼쪽과 오른쪽이 서로 바뀝니다.
- 도형을 위쪽이나 아래쪽으로 뒤집으면 도형의 위쪽과 아래쪽이 서로 바뀝니다.

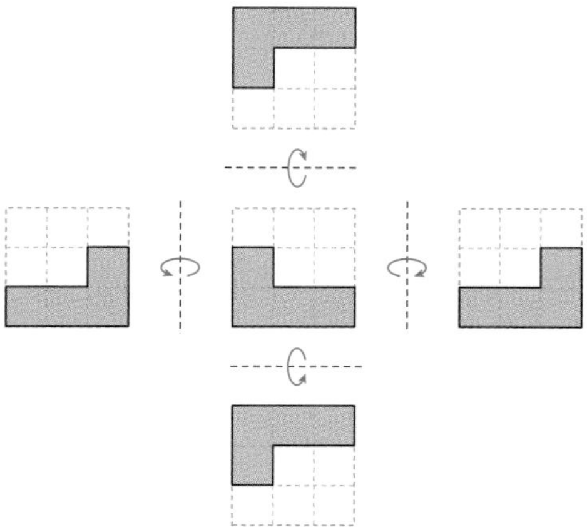

평면도형을 돌리기

- 평면도형을 시계 방향으로 돌리기

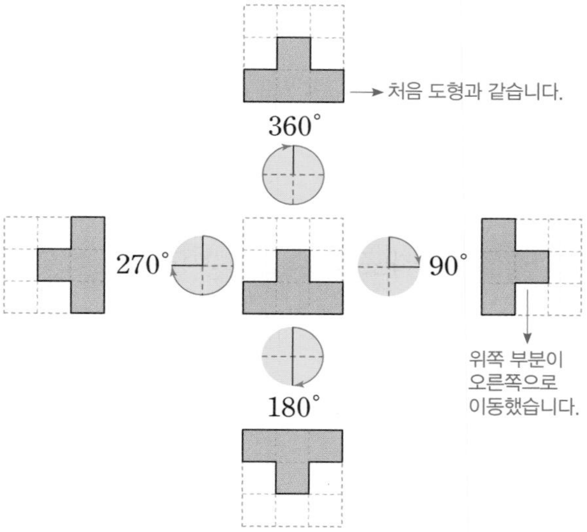

- 평면도형을 시계 반대 방향으로 돌리기

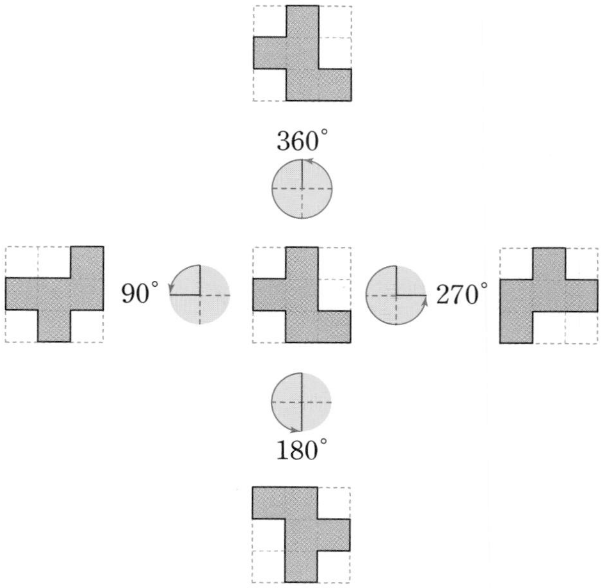

문제 해결

유형 ① 규칙에 따라 움직이기

1 일정한 규칙에 따라 수 카드를 돌리기 한 것입니다. 물음에 답하세요.

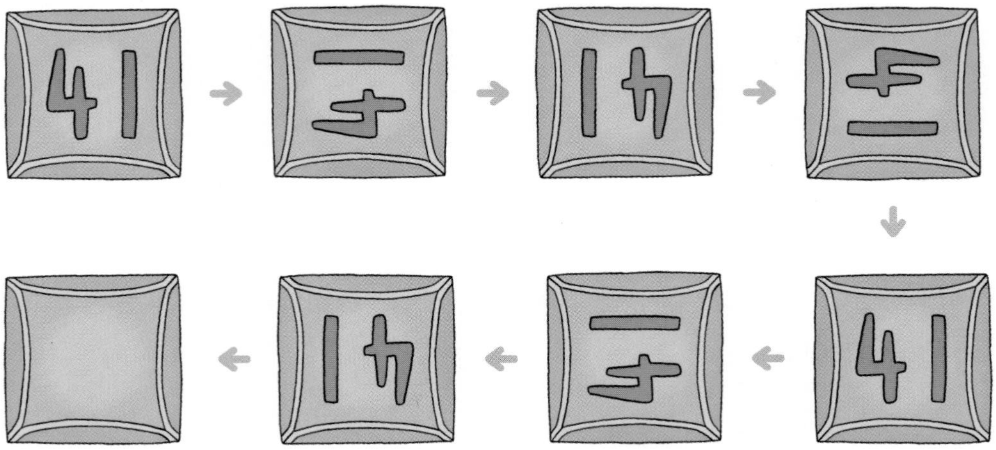

❶ 수 카드를 어느 방향으로 돌리기 한 것인지 알맞은 것에 ○표 하세요.

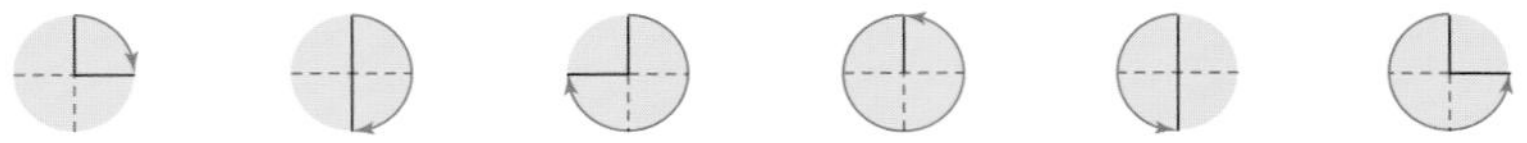

❷ 위의 비어 있는 수 카드에 알맞은 모양을 그려 보세요.

❸ 다음 도형을 위와 같은 규칙으로 돌렸을 때의 도형을 그려 보세요.

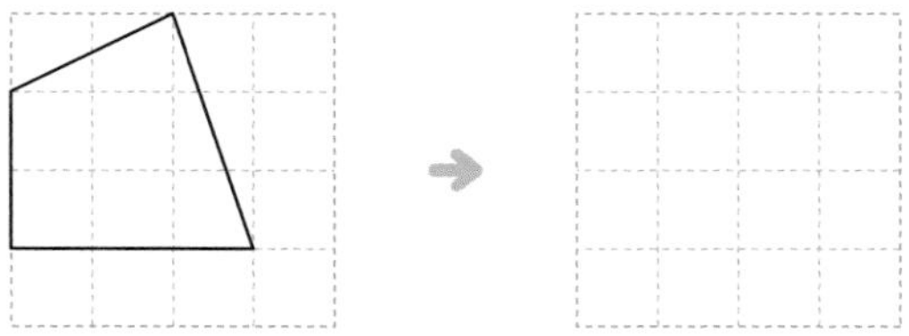

2 일정한 규칙에 따라 도형을 움직인 것입니다. □ 안에 공통으로 들어갈 수 있는 것을 찾아 ○표 하세요.

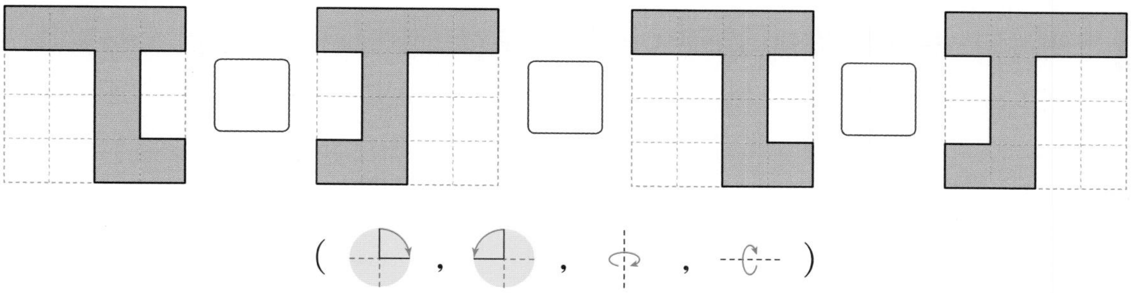

(, , ,)

3 돌리기를 이용하여 도형을 규칙적으로 움직인 것입니다. 빈 곳에 알맞은 도형을 그려 보세요.

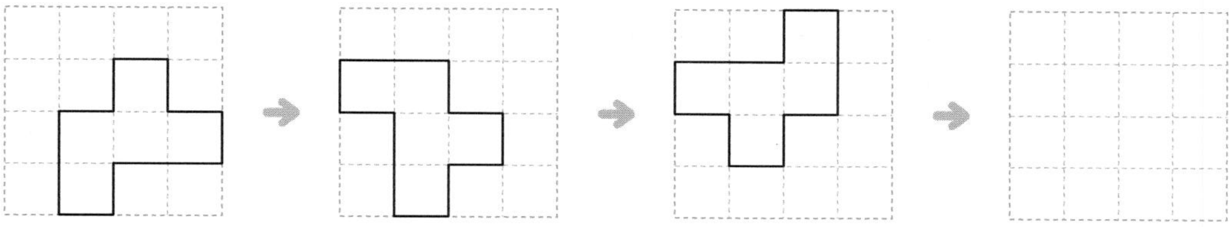

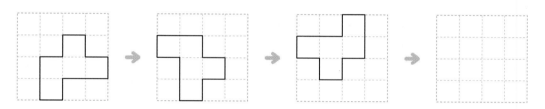

4 일정한 규칙에 따라 도형을 움직인 것입니다. 빈 곳에 알맞은 도형을 그려 보세요.

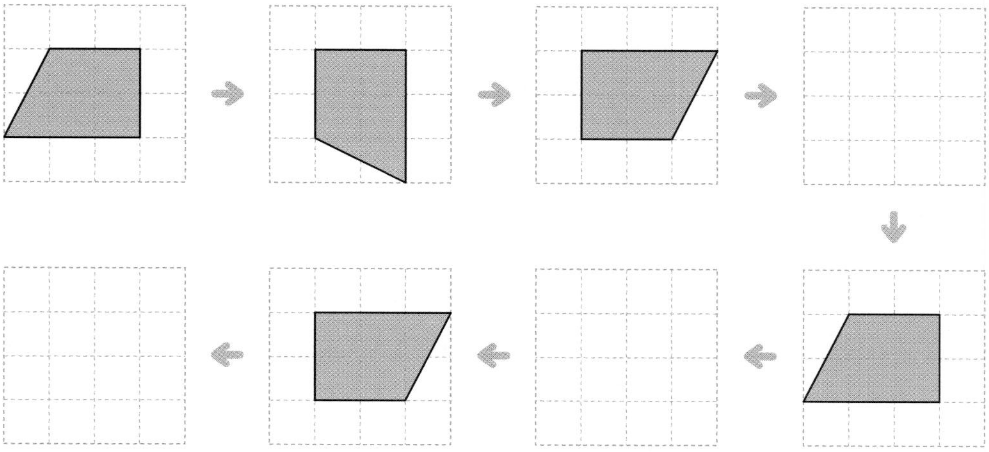

유형 ② 퍼즐 완성하기

추론

1 펜토미노는 정사각형 5개로 이루어진 도형으로 모두 12종류가 있습니다. 12개의 조각을 모두 한 번씩 이용하여 직사각형을 완성하려고 합니다. 물음에 답하세요.

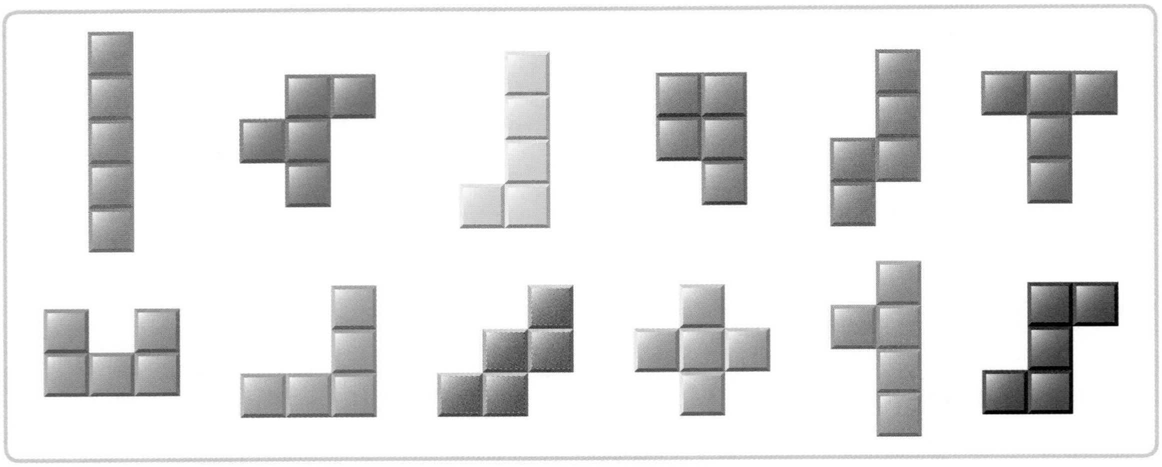

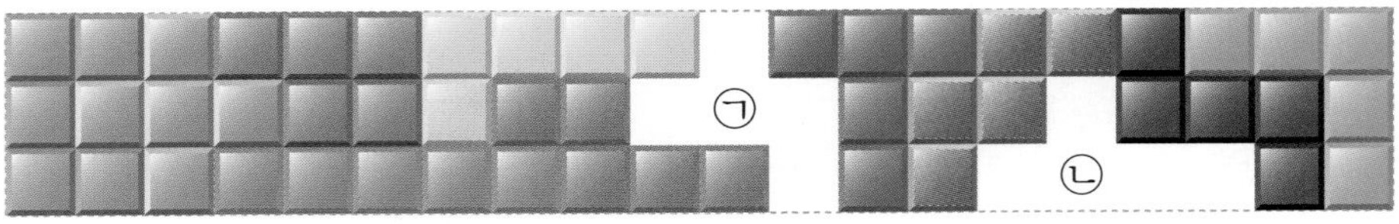

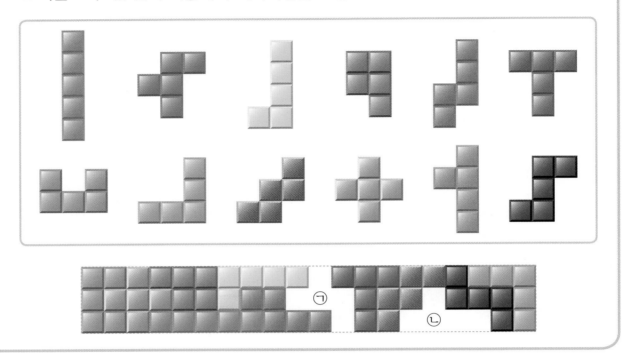

❶ 위의 펜토미노 조각 중 ㉠에 들어갈 수 있는 조각에 ◯표, ㉡에 들어갈 수 있는 조각에 △표 하세요.

❷ ❶에서 고른 조각을 이용하여 ㉠을 채우려면 어떻게 움직여야 하는지 알맞은 것에 ◯표 하세요.

시계 방향으로 (90°, 180°, 270°, 360°)만큼 돌립니다.

❸ ❶에서 고른 조각을 이용하여 ㉡을 채우려면 어떻게 움직여야 하는지 설명해 보세요.

시계 방향으로 ☐°만큼 돌리고 ☐쪽으로 뒤집습니다.

2 조각을 움직여서 정사각형을 완성하려고 합니다. ㉠, ㉡에 들어갈 수 있는 조각은 각각 어느 것인지 찾아 기호를 써 보세요.

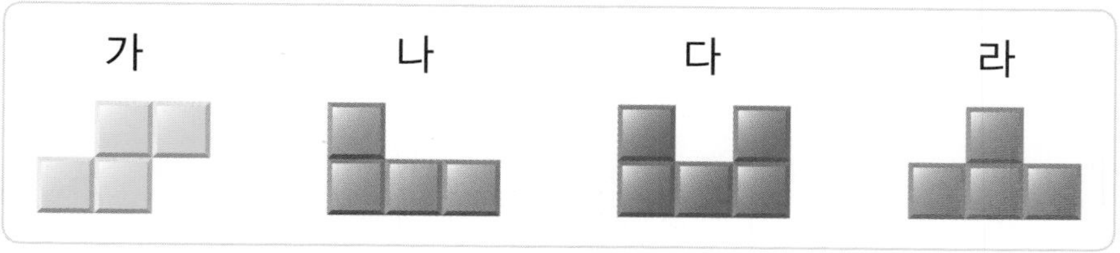

㉠ (　　　　　　　　), ㉡ (　　　　　　　　)

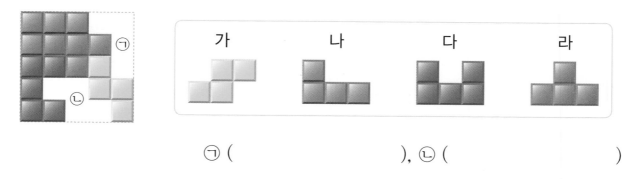

3 주어진 조각 중 3조각을 움직여 오른쪽 퍼즐을 완성하려고 합니다. 사용하지 <u>않는</u> 조각에 ×표 하세요.

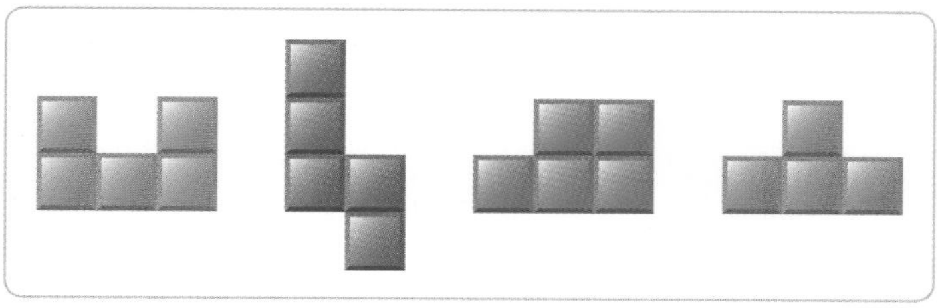

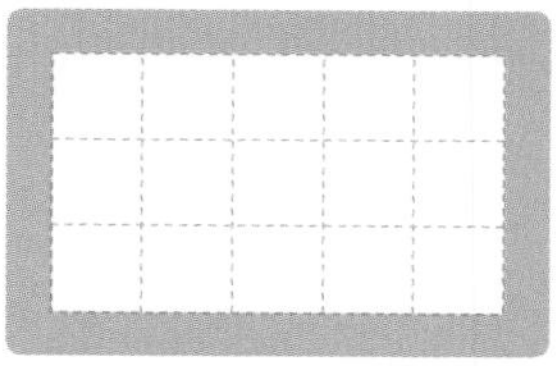

4 조각판을 정리하려고 합니다. 을 넣으려면 어떻게 움직여야 하는지 설명해 보세요.

설명 ________________________________

유형 ③ 문자 움직이기

창의・융합

1 지연이는 자신의 이름을 새긴 도장을 만들어서 찍어 보았더니 다음과 같이 글자가 찍혔습니다. 물음에 답하세요.

❶ 도장에 새긴 글자와 도장을 찍었을 때의 글자는 어떻게 다른지 설명해 보세요.

도장에 새긴 글자를 찍으면 글자의 [　　　]쪽과 [　　　]쪽이 서로 바뀝니다.

❷ 위와 같이 친구들의 이름을 새긴 도장을 만들었습니다. 도장을 찍었을 때 나오는 글자를 빈 곳에 그려 보세요.

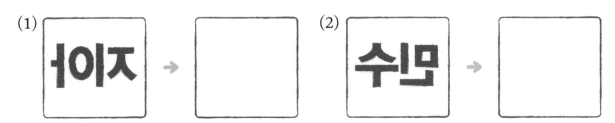

(1)  ➔ [　　　]

(2)  ➔ [　　　]

2 사진을 보고 보기 의 글자를 돌리기 하여 일기를 완성해 보세요.

보기

를	룩	극	ㄷㄴ	으	능	운

□ 리 □ 집 □ 처에서

□ □ □ □ 하였습니다.

3 지우가 한글 자음 카드를 시계 방향으로 180°만큼 돌린 다음 왼쪽으로 뒤집었습니다. 이때 처음과 같아지는 한글 자음을 모두 찾아 써 보세요.

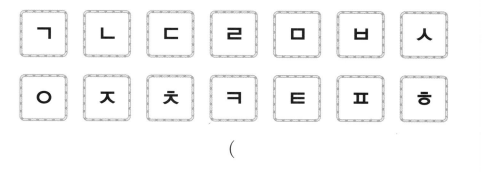

ㄱ	ㄴ	ㄷ	ㄹ	ㅁ	ㅂ	ㅅ
ㅇ	ㅈ	ㅊ	ㅋ	ㅌ	ㅍ	ㅎ

(　　　　　　　　　　　　　　　　)

4 단원

유형 4 처음 도형 알아보기

정보 처리

1 도형을 오른쪽으로 뒤집고 시계 방향으로 90°만큼 돌렸더니 오른쪽과 같았습니다. 물음에 답하세요.

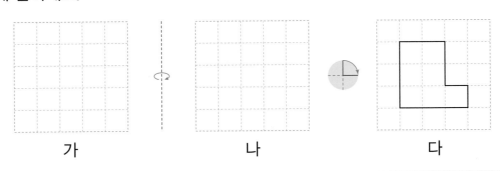

가 나 다

❶ □ 안에 알맞은 수를 써넣고 나 도형을 그려 보세요.

다 도형을 시계 반대 방향으로 □°만큼 돌리면 나 도형이 됩니다.

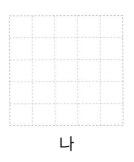

나

❷ 알맞은 말에 ○표 하고 가 도형을 그려 보세요.

나 도형을 (위쪽 , 왼쪽)으로 뒤집으면 가 도형이 됩니다.

가

❸ 처음 도형을 그려 보세요.

2 도형을 오른쪽으로 뒤집고 시계 반대 방향으로 90°만큼 돌렸더니 오른쪽과 같았습니다. 빈 곳에 알맞은 도형을 각각 그려 보세요.

3 도형을 아래쪽으로 뒤집고 시계 반대 방향으로 90°만큼 돌렸더니 오른쪽과 같았습니다. 처음 도형을 그려 보세요.

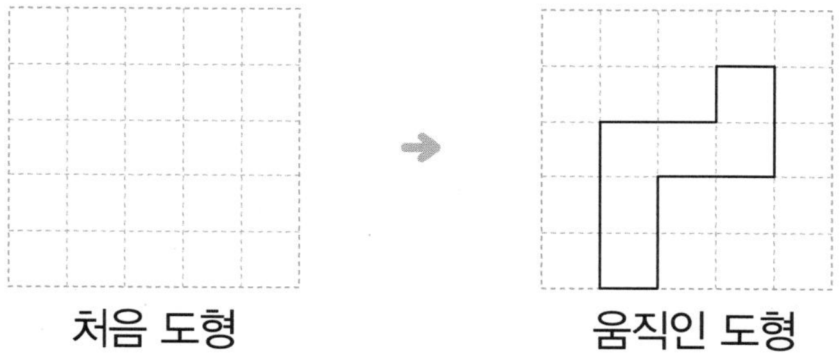

4 도형을 위쪽으로 뒤집고 시계 방향으로 180°만큼 돌렸더니 오른쪽과 같았습니다. 처음 도형을 그려 보세요.

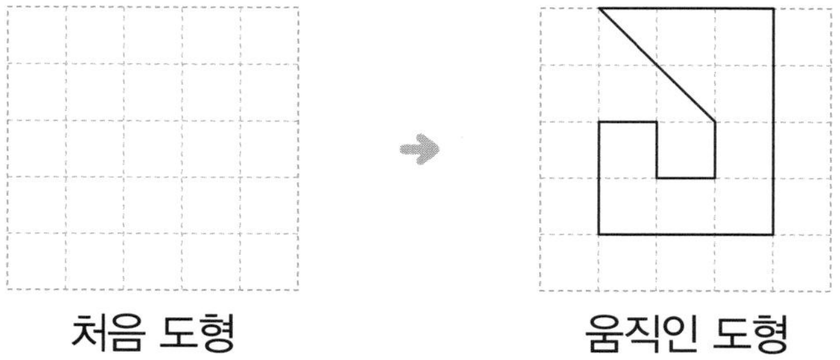

문제 해결

유형 5 돌리고 돌리기

1 왼쪽 도형을 다음과 같이 돌렸을 때의 도형을 그리려고 합니다. 물음에 답하세요.

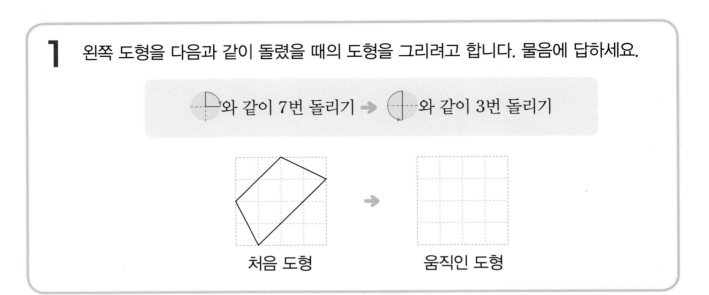

와 같이 7번 돌리기 → 와 같이 3번 돌리기

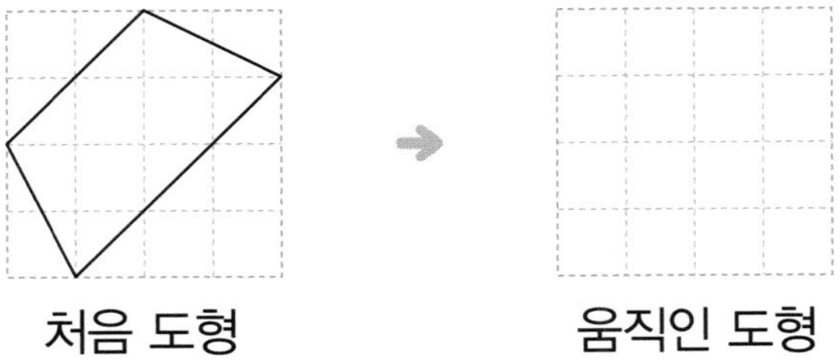

❶ 1에서 4까지의 수 중 □ 안에 알맞은 수를 써넣으세요.

와 같이 4번 돌린 것은 와 같이 1번 돌린 것과 같습니다.

따라서 와 같이 7번 돌린 것은 와 같이 □번 돌린 것과 같습니다.

❷ 1에서 4까지의 수 중 □ 안에 알맞은 수를 써넣으세요.

와 같이 2번 돌린 것은 와 같이 □번 돌린 것과 같습니다.

따라서 와 같이 3번 돌린 것은 와 같이 □번 돌린 것과 같습니다.

❸ 도형을 와 같이 7번 돌리고 와 같이 3번 돌렸을 때의 도형을 각각 그려 보세요.

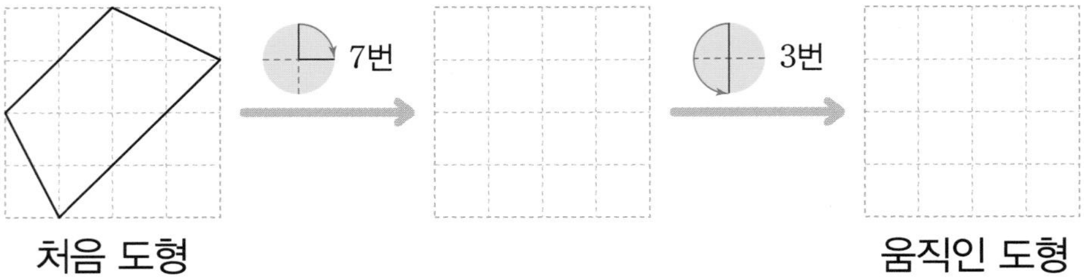

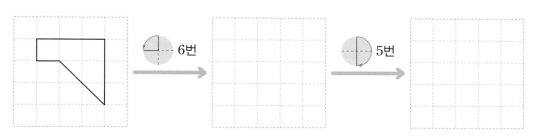

2 도형을 와 같이 6번 돌리고 와 같이 5번 돌렸을 때의 도형을 각각 그려 보세요.

3 도형이 사다리를 타고 내려오면서 여러 방향으로 돌아갑니다. 빈 곳에 알맞은 도형을 그려 보세요.

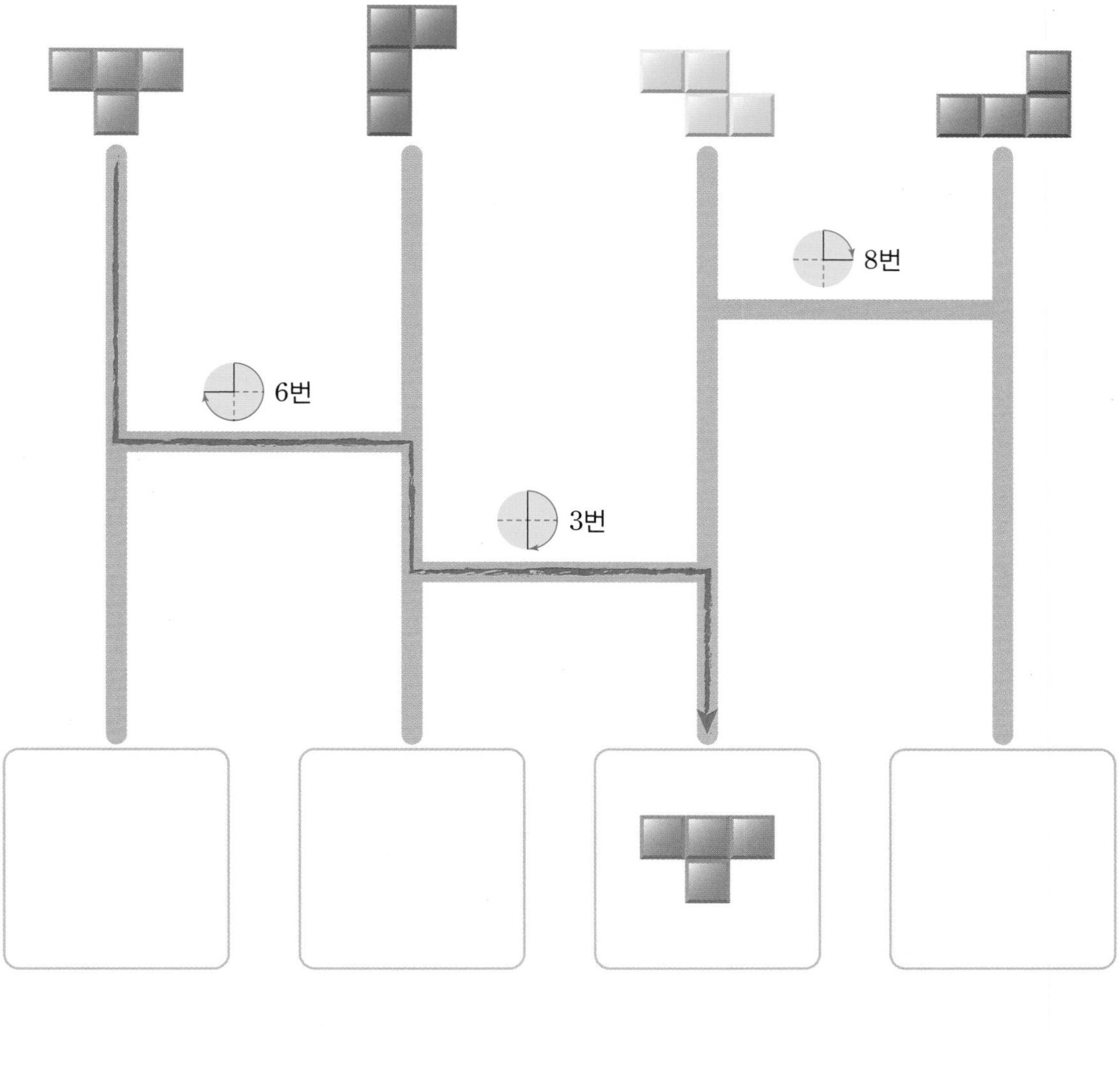

유형 6 거울에 비친 모양

추론

준비물 거울

1 보기 와 같이 점이 찍힌 종이 위에 거울을 비추었습니다. 점은 모두 몇 개로 보이는지 구하려고 합니다. 물음에 답하세요.

보기

종이에 찍힌 점과 거울에 비친 점은 모두 4개로 보입니다.

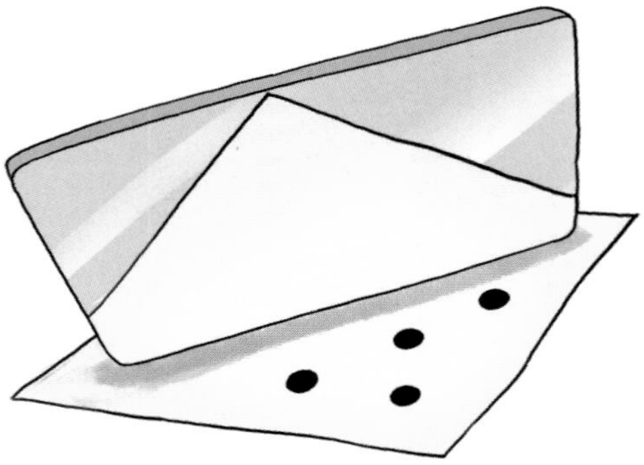

❶ 종이에 찍힌 점은 몇 개일까요?

( )

❷ 위의 그림에 거울에 비친 점을 그려 보세요.

❸ 점은 모두 몇 개로 보일까요?

( )

2 다음과 같이 점이 찍힌 종이 위에 거울을 비추었습니다. 점은 모두 몇 개로 보이는지 구해 보세요.

❶

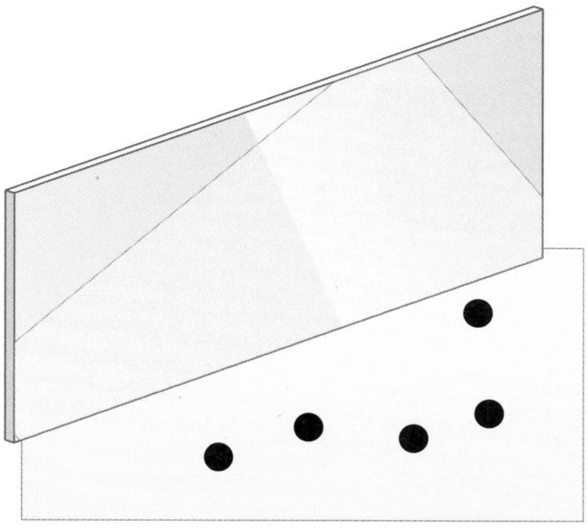

□개

❷

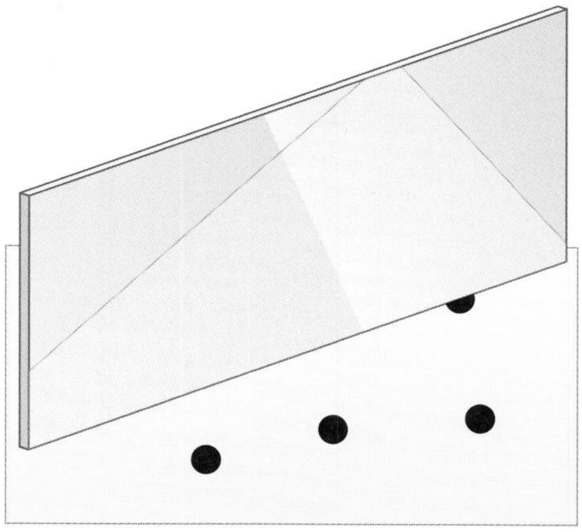

□개

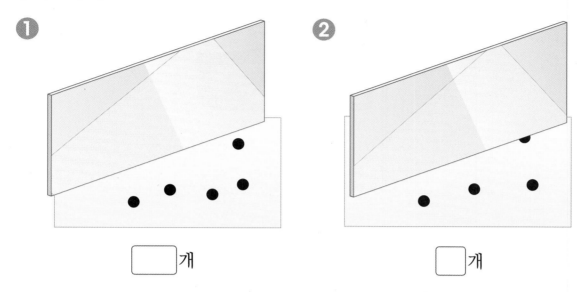

3 점선 위에 거울을 세워 놓고 화살표 방향에서 본다면 어떻게 보일지 색칠해 보세요.

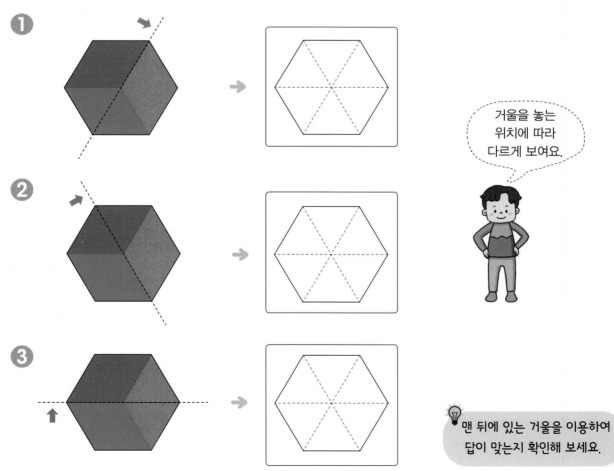

❶

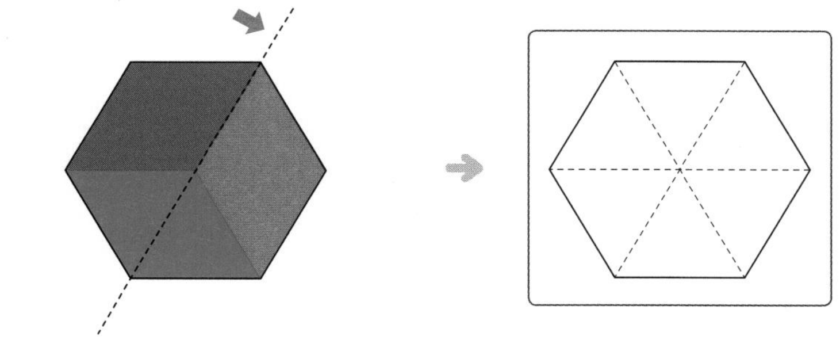

❷

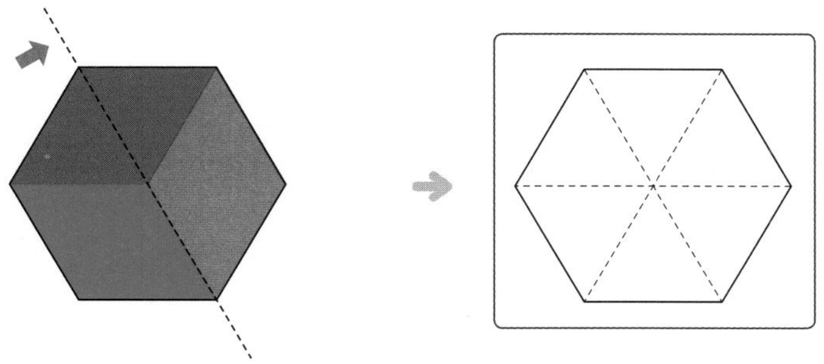

❸

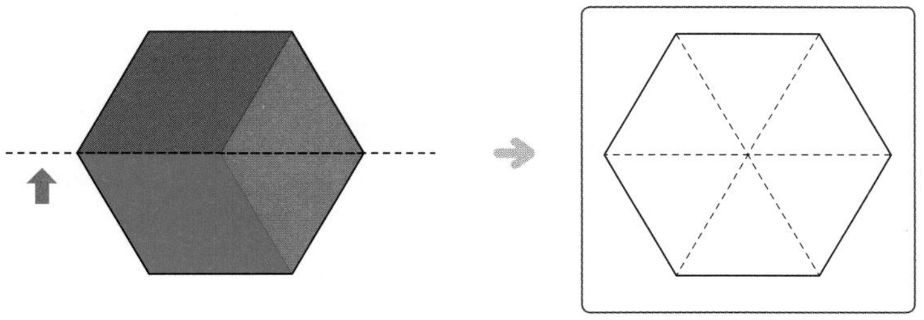

맨 뒤에 있는 거울을 이용하여
답이 맞는지 확인해 보세요.

사고력 종합 평가

1 도장에 새겨진 글자 모양을 보고 종이에 도장을 찍었을 때 나오는 글자를 써 보세요.

(   )

2 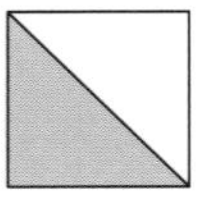 모양으로 보기 와 같이 규칙적인 무늬를 만들어 보세요.

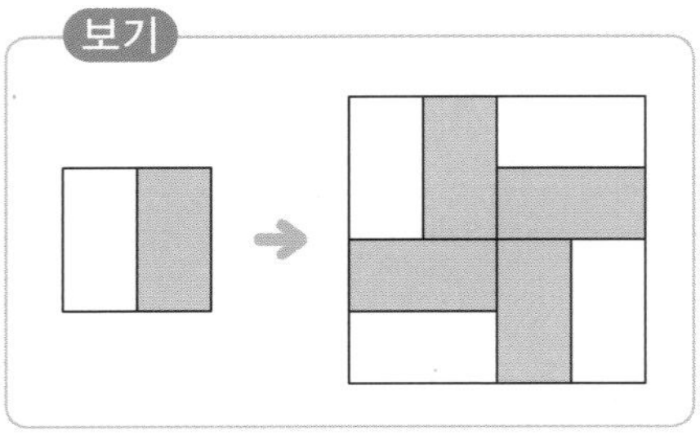

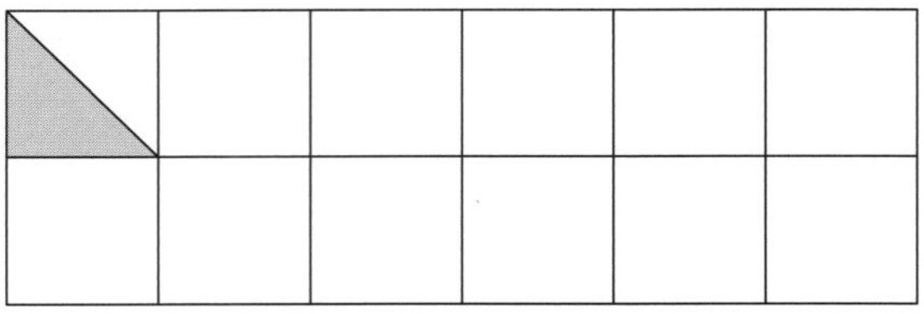

3 다음 중 ▢ 모양으로 밀기, 뒤집기, 돌리기를 이용하여 만들 수 <u>없는</u> 무늬를 찾아 기호를 쓰세요.

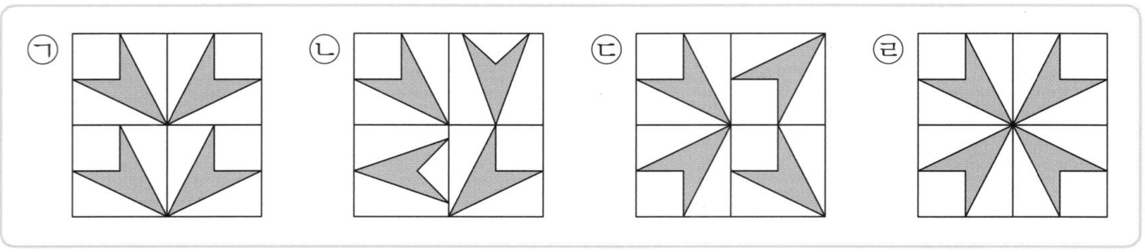

(   )

4 한글의 자음과 모음입니다. 아래쪽으로 뒤집었을 때의 모양이 처음과 같은 글자에 모두 ◯표 하세요.

ㅏ　ㅁ　ㅗ　ㅠ　ㅂ　ㅇ　ㅅ　ㅕ

5 왼쪽 도형을 돌려서 오른쪽 도형이 되었습니다. 어떻게 돌린 것인지 알맞은 것을 찾아 ◯표 하세요.

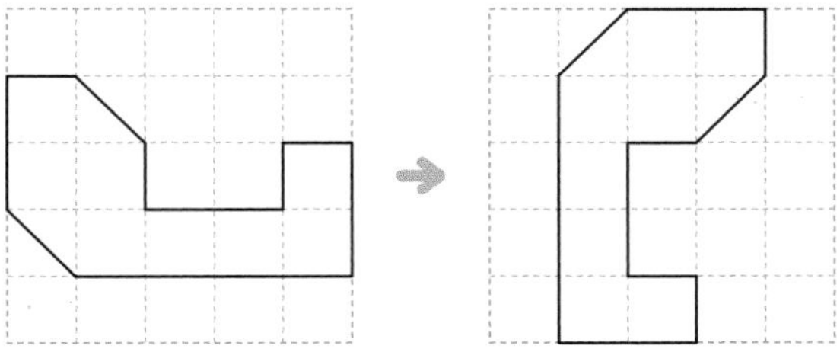

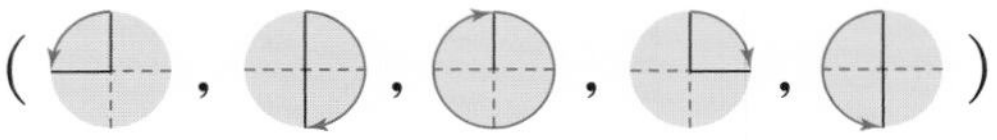

6 다음과 같이 점이 찍힌 종이 위에 거울을 비추었습니다. 점은 모두 몇 개로 보이는지 구해 보세요.

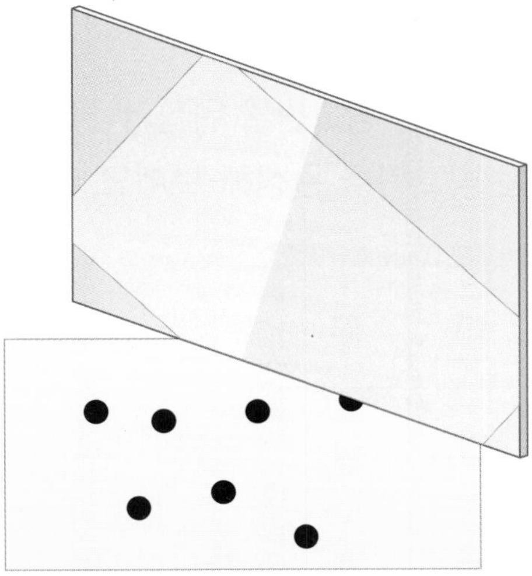

(　　　　　　　　　　)

7 조각을 움직여서 정사각형을 완성하려고 합니다. 물음에 답하세요.

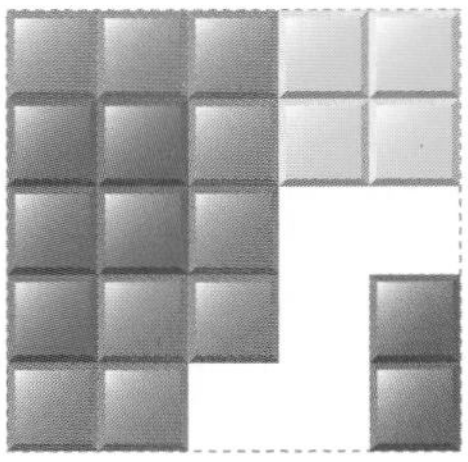

❶ 빈 곳에 들어갈 수 있는 조각을 찾아 기호를 써 보세요.

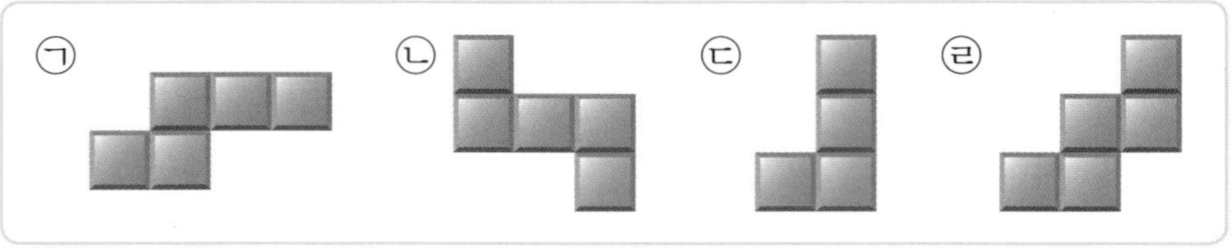

( )

❷ ❶에서 고른 조각을 이용하여 빈 곳을 채우려면 어떻게 움직여야 하는지 설명해 보세요.

☐ 조각을 시계 방향으로 ☐°만큼 돌립니다.

8 왼쪽 빙고판은 자음이 적혀 있는 빙고판을 뒤집거나 돌린 것입니다. 왼쪽 빙고판을 뒤집거나 돌려서 자음이 적혀 있는 빙고판을 완성해 보세요.

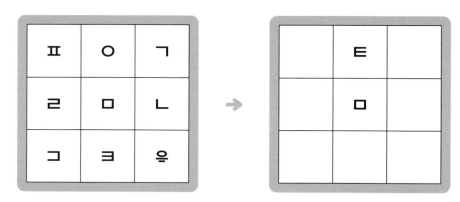

ㅍ	ㅇ	ㄱ
ㄹ	ㅁ	ㄴ
ㄱ	ㅋ	응

➜

	ㅌ	
	ㅁ	

9 보기 의 낱말을 2개 이상 사용하여 도형을 움직인 방법을 설명해 보세요.

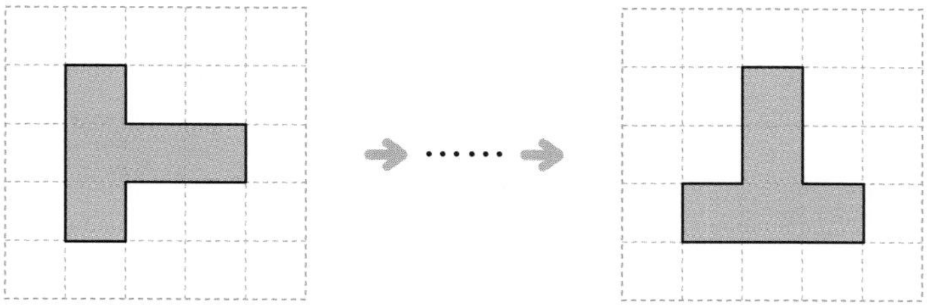

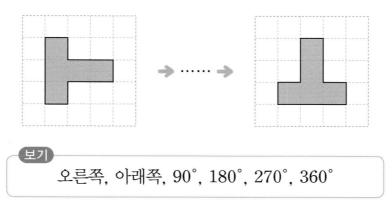

보기
오른쪽, 아래쪽, 90°, 180°, 270°, 360°

설명 ______________________________

____

10 도형을 오른쪽으로 뒤집고 시계 반대 방향으로 270°만큼 돌렸더니 오른쪽과 같았습니다. 빈 곳에 알맞은 도형을 각각 그려 보세요.

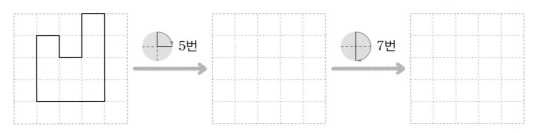

11 주어진 도형을 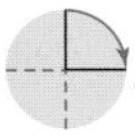와 같이 5번 돌리고 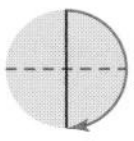와 같이 7번 돌렸을 때의 도형을 각각 그려 보세요.

12 뒤집기를 이용하여 도형을 규칙적으로 움직인 것입니다. 빈 곳에 알맞은 도형을 그려 보세요.

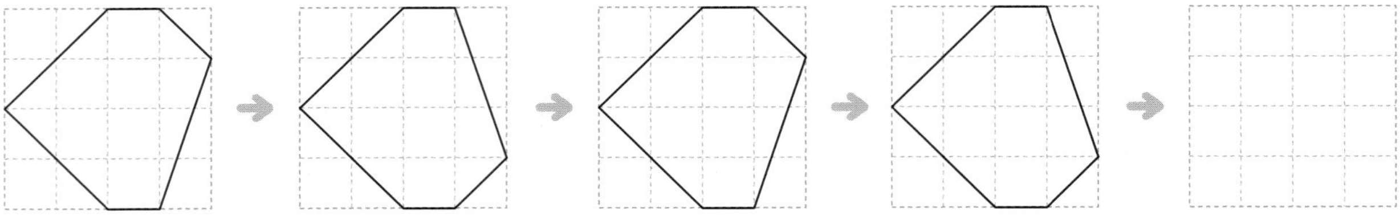

13 일정한 규칙에 따라 도형을 움직인 것입니다. 빈 곳에 알맞은 도형을 그려 보세요.

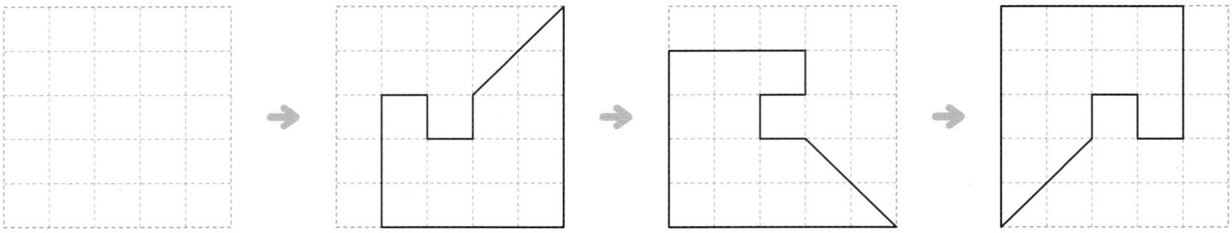

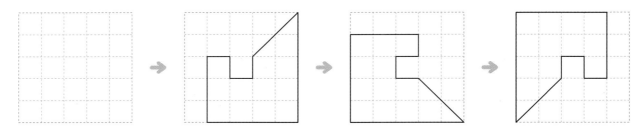

14 거울에 비친 시계를 보고 시계가 실제로 나타내는 시각은 몇 시 몇 분인지 구해 보세요.

( )

5 막대그래프

막대그래프

- 막대그래프: 조사한 자료를 막대 모양으로 나타낸 그래프

즐겨 하는 운동별 학생 수

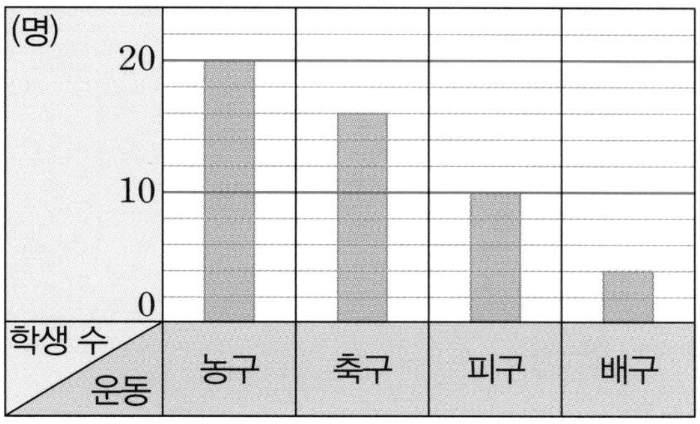

① 막대그래프의 가로는 운동, 세로는 학생 수를 나타냅니다.

② 막대의 길이는 즐겨 하는 운동별 학생 수를 나타냅니다.

③ 세로 눈금 한 칸은 2명을 나타냅니다.

④ 가장 많이 즐겨 하는 운동은 농구입니다.

⑤ 축구를 즐겨 하는 학생은 피구를 즐겨 하는 학생보다 6명 더 많습니다.

표와 막대그래프 비교하기

표	각 항목별 조사한 수와 합계를 알아보기 편리합니다.
막대그래프	항목별 수량의 많고 적음을 한눈에 비교하기 쉽습니다.

막대그래프 그리기

좋아하는 과일별 학생 수

과일	귤	배	사과	포도	합계
학생 수 (명)	6	2	4	8	20

① 가로와 세로 중 어느 쪽에 조사한 수를 나타낼 것인가를 정합니다.

② 눈금 한 칸의 크기를 정하고, 조사한 수 중 가장 큰 수를 나타낼 수 있도록 눈금의 수를 정합니다.

③ 조사한 수에 맞도록 막대를 그립니다.

④ 막대그래프에 알맞은 제목을 붙입니다.

좋아하는 과일별 학생 수

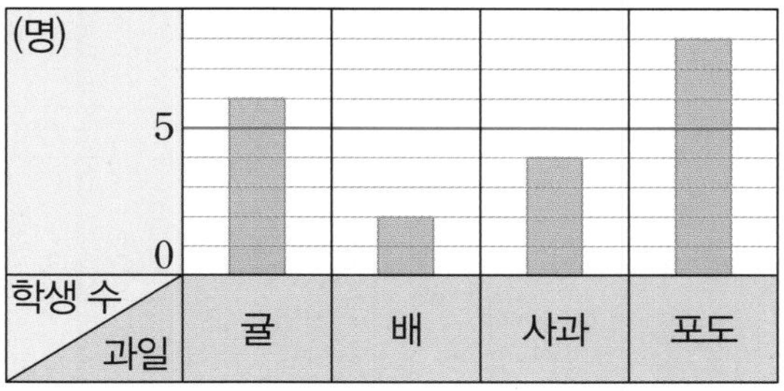

자료를 조사하여 막대그래프 그리기

① 조사할 내용 및 조사 항목을 정합니다.

② 조사 방법 및 조사 대상과 조사 시기를 정합니다.

③ 자료를 수집하여 조사한 결과를 표로 정리하고 막대그래프로 나타냅니다.

유형 ① 막대그래프 세로 눈금의 칸 수

정보 처리

1 유정이네 반 학생들이 키우는 애완동물을 조사하여 나타낸 표입니다. 표를 보고 막대그래프로 나타내려고 합니다. 막대그래프의 세로에 학생 수를 나타낼 때 세로 눈금 한 칸을 1명으로 나타낸다면 세로 눈금은 적어도 몇 칸까지 있어야 하는지 구하려고 합니다. 물음에 답하세요.

키우는 애완동물별 학생 수

애완동물	강아지	고양이	병아리	토끼	햄스터	합계
학생 수(명)		7	4	1	2	25

막대그래프로 나타내면 한눈에 알아보기 편리할 것 같아.
세로 눈금은 몇 칸까지 있어야 하지?

❶ 강아지를 키우는 학생은 몇 명일까요?

(　　　　　　　　　　)

❷ 가장 많은 학생들이 키우는 애완동물은 무엇일까요?

(　　　　　　　　　　)

❸ 막대그래프의 세로 눈금 한 칸을 1명으로 나타낸다면 세로 눈금은 적어도 몇 칸까지 있어야 할까요?

(　　　　　　　　　　)

2 지수네 반 학생들이 좋아하는 색깔을 조사하여 나타낸 표입니다. 표를 보고 막대그래프로 나타내려고 합니다. 막대그래프의 세로에 학생 수를 나타낼 때 세로 눈금 한 칸을 1명으로 나타낸다면 세로 눈금은 적어도 몇 칸까지 있어야 하는지 구해 보세요.

좋아하는 색깔별 학생 수

색깔	빨간색	노란색	초록색	파란색	보라색	합계
학생 수(명)	3	1		7	5	22

( )

3 마을별 사과 생산량을 조사하여 나타낸 그림그래프입니다. 다섯 마을의 전체 사과 생산량이 100상자일 때 물음에 답하세요.

마을별 사과 생산량

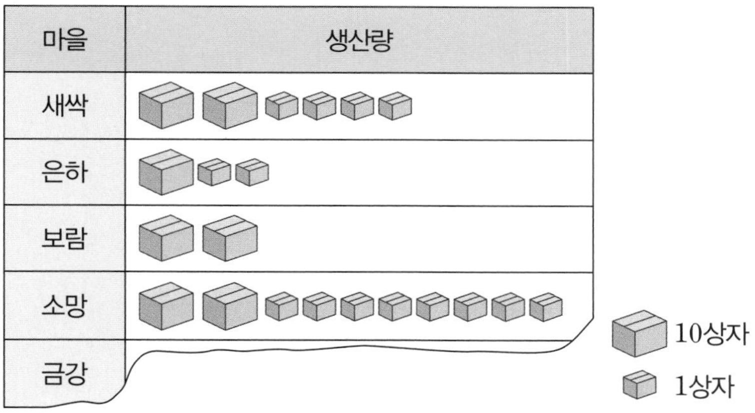

❶ 그림그래프를 보고 표를 완성해 보세요.

마을별 사과 생산량

마을	새싹	은하	보람	소망	금강	합계
생산량(상자)						100

❷ 막대그래프의 세로에 생산량을 나타낼 때 세로 눈금 한 칸을 2상자로 나타낸다면 세로 눈금은 적어도 몇 칸까지 있어야 하는지 구해 보세요.

( )

유형 ② 그래프 해석하기

의사소통

1 지연이네 반 학생들이 심고 싶어 하는 작물을 조사하여 나타낸 막대그래프입니다. 물음에 답하세요.

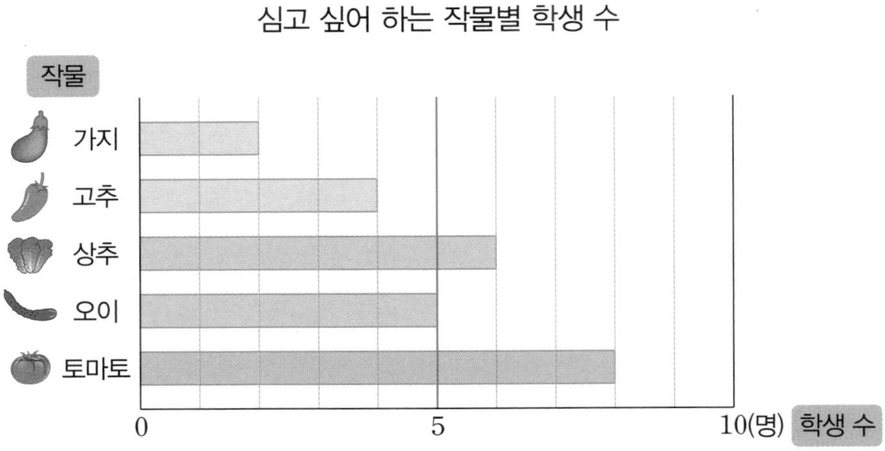

❶ 막대그래프를 보고 표를 완성해 보세요.

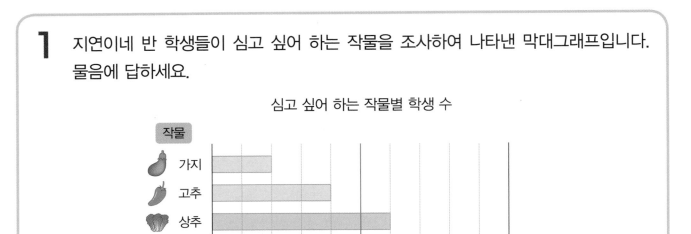

심고 싶어 하는 작물별 학생 수

작물	가지	고추	상추	오이	토마토	합계
학생 수(명)						

❷ 가장 많은 학생들이 심고 싶어 하는 작물은 무엇일까요?

(　　　　　　　　)

❸ 지연이네 반 학생들이 작물 한 가지를 심는다면 어떤 작물을 심는 것이 가장 좋을지 쓰고, 그 이유를 설명해 보세요.

(　　　　　　　　)

이유 ____________________

2 슬라임 카페의 5일 동안의 예약자 수를 조사하여 나타낸 막대그래프입니다. 소라가 친구들과 슬라임 카페에 놀러 간다면 어느 요일에 가야 가장 여유롭게 놀 수 있을지 쓰고, 그 이유를 설명해 보세요.

요일별 예약자 수

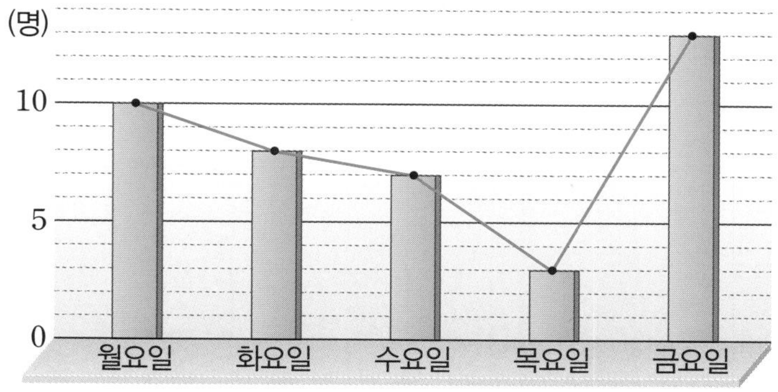

(　　　　　　　　　　)

이유 ______________________________

____

3 민지네 반 학생들이 좋아하는 음식을 조사하여 나타낸 막대그래프입니다. 민지가 생일잔치를 할 때 어떤 음식을 준비하면 좋을지 세 가지를 쓰고, 그 이유를 설명해 보세요.

좋아하는 음식별 학생 수

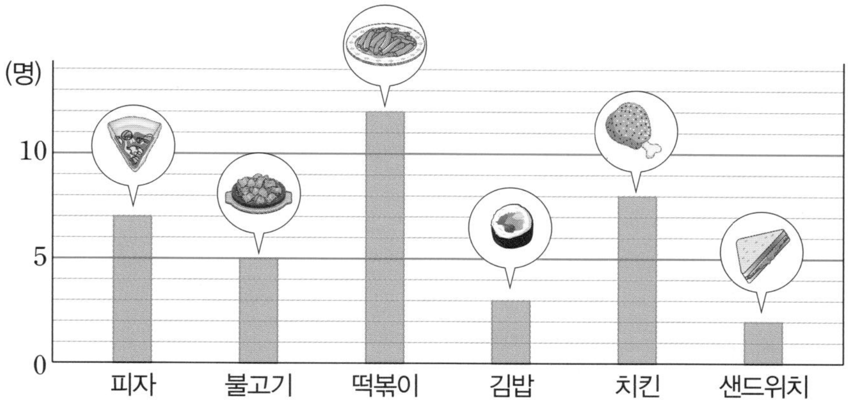

(　　　　　　　　　　　　　　　　)

이유 ______________________________

____

유형 3 찢어진 막대그래프

추론

1 은우네 반 학생들의 혈액형을 조사하여 나타낸 막대그래프의 일부분이 찢어진 것입니다. A형인 학생 수가 AB형인 학생 수의 2배일 때 은우네 반 학생은 모두 몇 명인지 구하려고 합니다. 물음에 답하세요.

혈액형별 학생 수

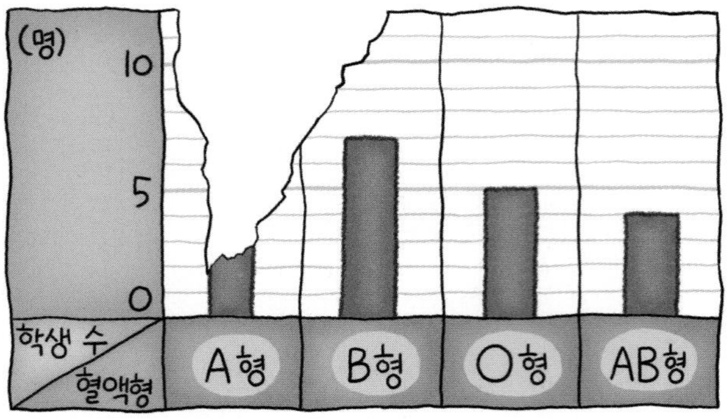

❶ 세로 눈금 한 칸은 몇 명을 나타낼까요?

(　　　　　　　　)

❷ AB형인 학생은 몇 명일까요?

(　　　　　　　　)

❸ A형인 학생은 몇 명일까요?

(　　　　　　　　)

❹ 은우네 반 학생은 모두 몇 명일까요?

(　　　　　　　　)

2 서아네 반 학생들이 좋아하는 계절을 조사하여 나타낸 막대그래프의 일부분이 찢어진 것입니다. 겨울을 좋아하는 학생 수가 여름을 좋아하는 학생 수보다 3명 더 많다고 합니다. 서아네 반 학생은 모두 몇 명인지 구해 보세요.

좋아하는 계절별 학생 수

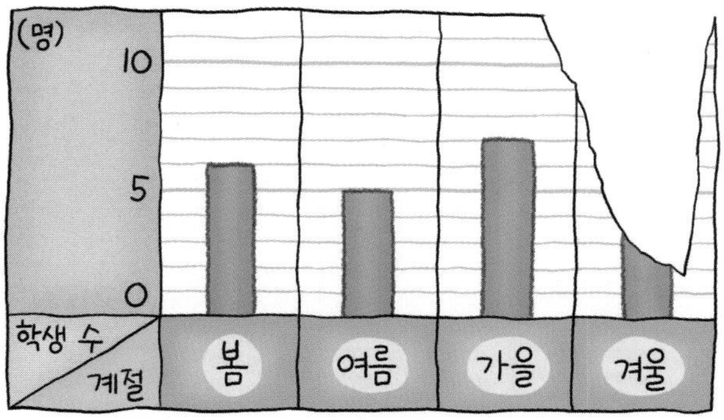

(　　　　　　　　　　)

3 어느 아이스크림 가게의 하루 동안 아이스크림 판매량을 조사하여 나타낸 막대그래프의 일부분이 찢어진 것입니다. 초코 맛 아이스크림은 딸기 맛 아이스크림의 2배가 팔렸고, 바닐라 맛 아이스크림보다는 3개 더 많이 팔렸습니다. 많이 팔린 맛부터 차례대로 써 보세요.

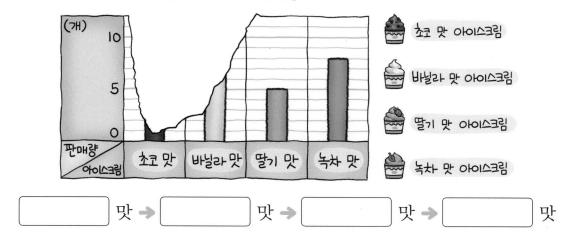

하루 동안 아이스크림 판매량

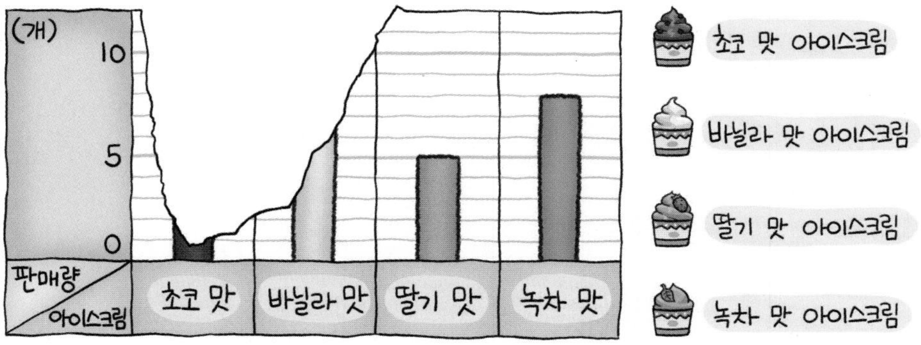

[　　] 맛 → [　　] 맛 → [　　] 맛 → [　　] 맛

유형 4 여러 자료의 막대그래프

정보 처리

1 2000년부터 하계 올림픽에서 우리나라가 획득한 메달 수를 조사하여 나타낸 막대그래프입니다. 우리나라가 획득한 금메달의 수와 은메달의 수의 차가 가장 컸던 올림픽의 개최지를 찾으려고 합니다. 물음에 답하세요.

하계 올림픽에서 우리나라가 획득한 메달 수

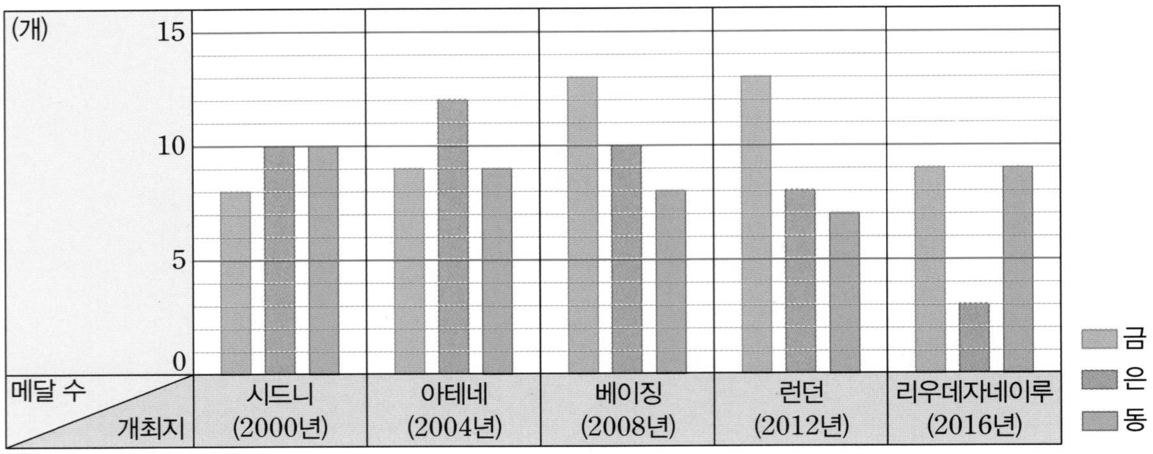

❶ 세로 눈금 한 칸은 메달 몇 개를 나타낼까요?

( )

❷ 개최지별로 금메달과 은메달 수의 차를 구해 보세요.

개최지	시드니	아테네	베이징	런던	리우데자네이루
금메달과 은메달 수의 차(개)					

❸ 금메달의 수와 은메달의 수의 차가 가장 컸던 올림픽의 개최지를 찾아 써 보세요.

( )

2 인호네 학교 4학년 학생들의 반별 안경을 쓴 학생 수를 조사하여 나타낸 막대그래프입니다. 안경을 쓴 남학생의 수와 안경을 쓴 여학생의 수의 차가 가장 큰 반을 찾아 써 보세요.

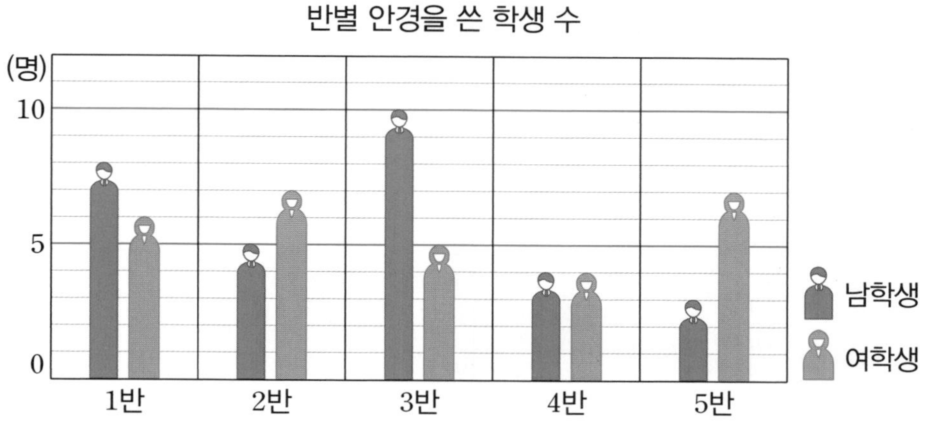

(　　　　　　　　)

3 정호와 민호가 농구공을 던져서 성공한 기록을 정리하여 나타낸 막대그래프입니다. 정호와 민호가 성공한 기록의 합계의 차는 몇 개인지 구해 보세요.

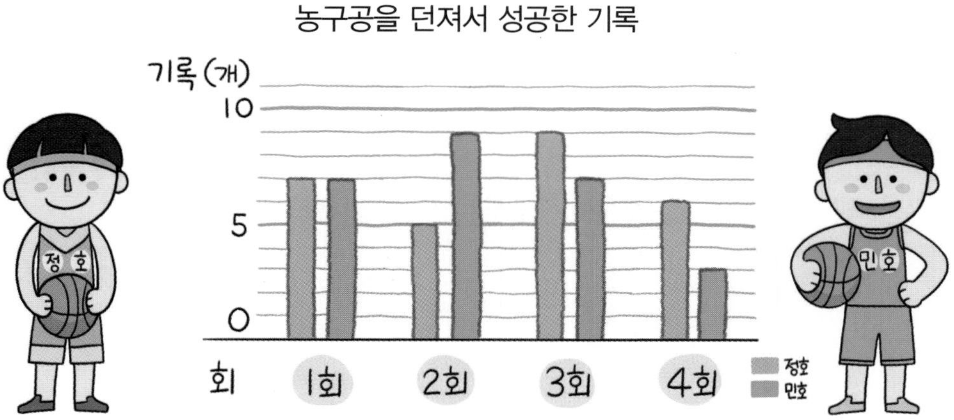

(　　　　　　　　)

유형 5 막대그래프 세로 눈금의 크기 추론

1 은주네 학교 4학년 학생 100명에게 여름 방학 때 가고 싶은 장소를 조사하여 나타낸 막대그래프입니다. 놀이동산에 가고 싶어 하는 학생은 몇 명인지 구하려고 합니다. 물음에 답하세요.

가고 싶은 장소별 학생 수

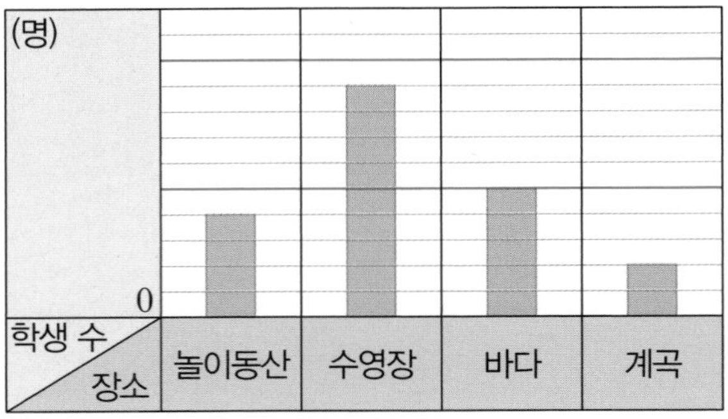

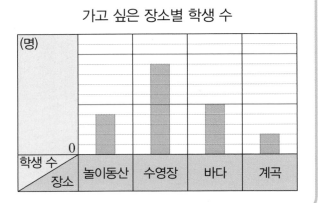

❶ 위의 막대그래프에서 가고 싶은 장소별로 세로 눈금의 수를 구해 보세요.

장소	놀이동산	수영장	바다	계곡	합계
세로 눈금의 수(칸)					

❷ 세로 눈금 한 칸은 몇 명을 나타내는지 구해 보세요.

( )

❸ 놀이동산에 가고 싶어 하는 학생은 몇 명일까요?

( )

2 은호네 학교 4학년 학생 116명에게 사는 마을을 조사하여 나타낸 막대그래프입니다. 별빛 마을에 사는 학생은 몇 명인지 구해 보세요.

마을별 학생 수

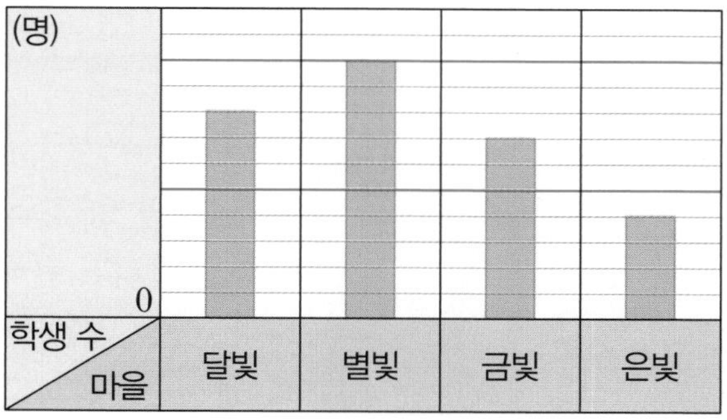

(　　　　　　　　　　)

3 민현이가 요일별 스마트폰을 사용한 시간을 조사하여 나타낸 막대그래프입니다. 월요일에 스마트폰을 사용한 시간이 45분일 때 민현이가 5일 동안 스마트폰을 사용한 시간은 모두 몇 시간 몇 분인지 구해 보세요.

요일별 스마트폰을 사용한 시간

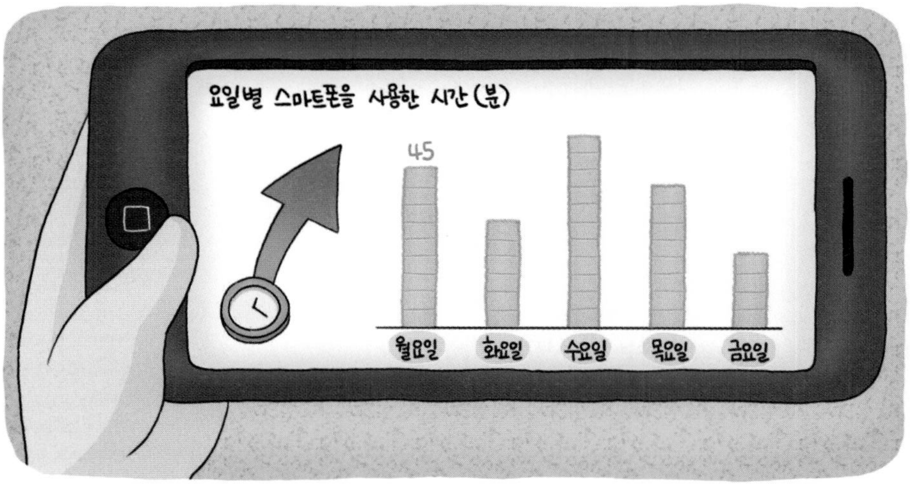

먼저 막대그래프의 세로 눈금 한 칸이 몇 분을 나타내는지 알아보아요.

(　　　　　　　　　　)

유형 6 막대그래프 완성하기

창의·융합

1 학급 신문을 읽고 막대그래프를 완성하려고 합니다. 물음에 답하세요.

학급 신문

4학년 2반 25명의 학생들은 환경 문제의 심각성을 알리기 위해 관련 자료를 모으고 있습니다. 가장 많은 학생들이 관심 있어 하는 환경 문제는 대기 오염으로 토양 오염에 관심 있어 하는 학생보다 6명이 더 많다고 합니다.

관심 있어 하는 환경 문제별 학생 수

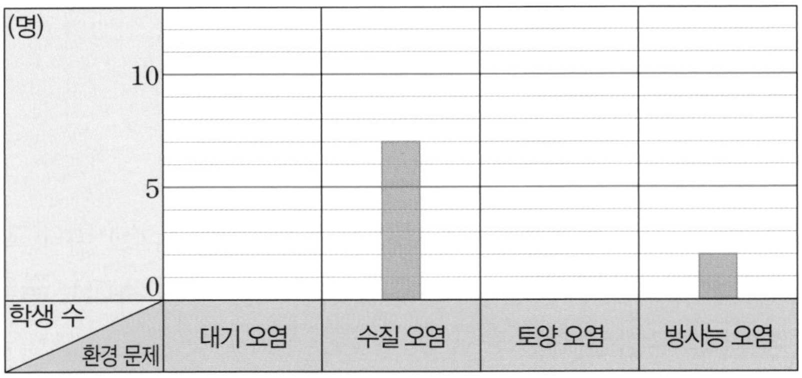

❶ 토양 오염에 관심 있어 하는 학생은 몇 명일까요?

( )

❷ 대기 오염에 관심 있어 하는 학생은 몇 명일까요?

( )

❸ 위의 막대그래프를 완성해 보세요.

2 리듬 체조 선수인 지아가 경기를 하고 난 뒤 쓴 일기입니다. 지아의 일기를 읽고 막대그래프를 완성해 보세요.

나는 훌라후프, 리본, 공, 곤봉 경기에 참여하였다. 훌라후프 경기와 리본 경기에서는 9.5점으로 높은 점수를 받았는데 곤봉 경기에서는 곤봉을 떨어뜨리는 실수를 해서 6.5점으로 낮은 점수를 받았다. 경기 중에 실수를 하였지만 끝까지 포기하지 않고 경기를 한 내가 무척 자랑스러웠다.

리듬 체조 종목별 점수

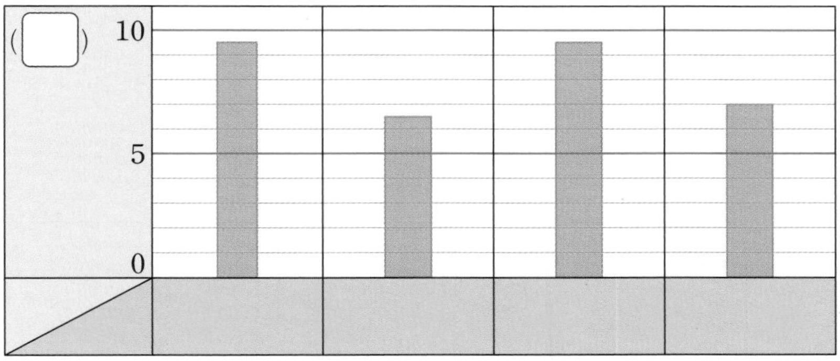

3 교내 신문을 읽고 막대그래프를 완성해 보세요.

교내 신문

4학년의 반별 체험 학습에 참가한 학생 수를 조사하였습니다. 체험 학습에 참가한 학생은 모두 45명입니다. 체험 학습에 참가한 학생 수가 가장 많은 반은 2반으로 체험 학습에 참가한 학생 수가 가장 적은 4반의 2배입니다.

반별 체험 학습에 참가한 학생 수

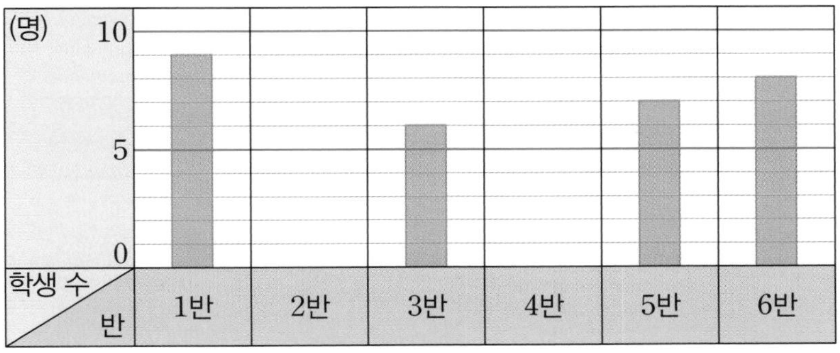

5 단원

사고력 종합 평가

[1~2] 민수네 반 학생들이 좋아하는 꽃을 조사하여 나타낸 표입니다. 물음에 답하세요.

좋아하는 꽃별 학생 수

꽃	장미	튤립	백합	국화	합계
학생 수(명)	9	3	6		22

1 국화를 좋아하는 학생은 몇 명일까요?

( )

2 표를 보고 막대그래프로 나타내어 보세요.

좋아하는 꽃별 학생 수

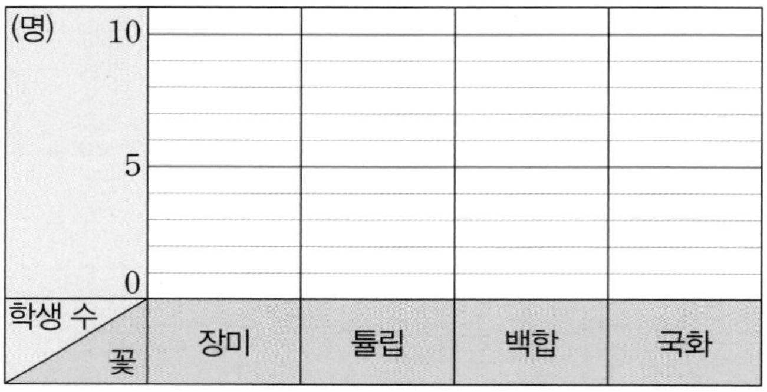

3 영규네 학교 학생들이 좋아하는 책을 조사하여 나타낸 막대그래프입니다. 학교 도서관에 어떤 책을 가장 많이 준비하는 것이 좋을지 쓰고, 그 이유를 설명해 보세요.

좋아하는 책별 학생 수

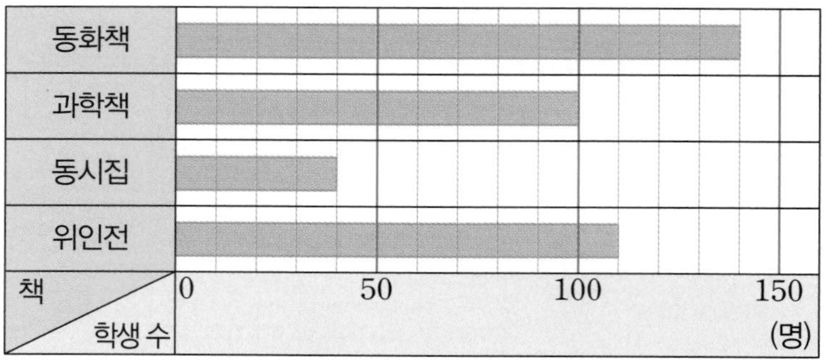

( )

이유

[4~6] 어느 빵집에서 하루 동안 팔린 빵의 판매량을 조사하여 나타낸 표입니다. 물음에 답하세요.

빵별 판매량

빵	머핀	도넛	식빵	바게트	합계
판매량(개)	12			16	70

4 식빵은 머핀의 2배만큼 팔렸습니다. 위의 표를 완성해 보세요.

5 표를 보고 막대그래프를 완성해 보세요.

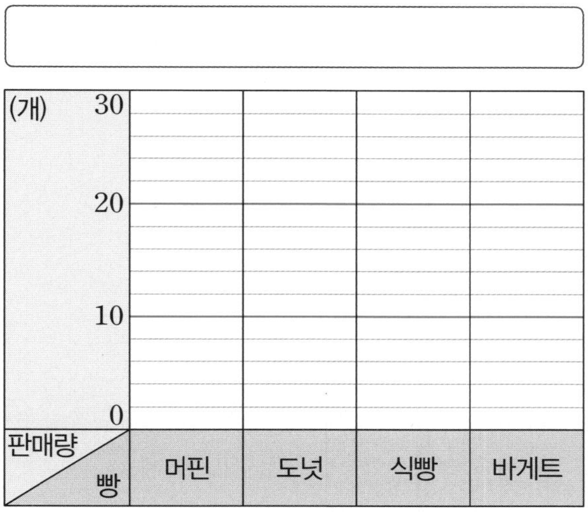

6 도넛 한 개의 가격이 780원일 때 하루 동안 팔린 도넛은 모두 얼마일까요?

( )

[7~9] 어느 돈가스 가게의 하루 동안 판매량을 조사하여 나타낸 막대그래프의 일부분이 찢어진 것입니다. 치킨 가스는 치즈 돈가스의 2배만큼 팔렸고, 매운 돈가스보다는 2개 더 많이 팔렸습니다. 물음에 답하세요.

하루 동안 판매량

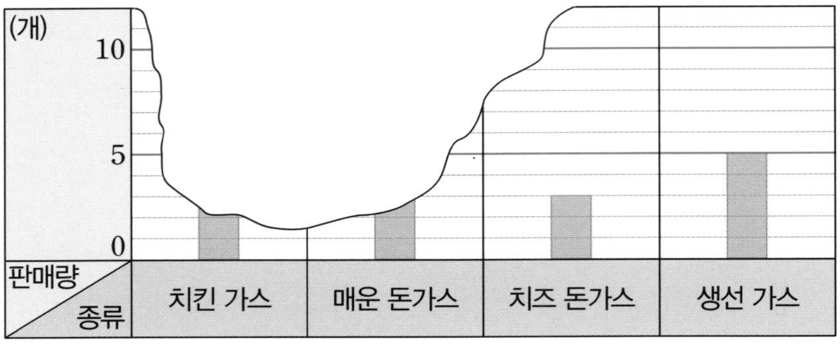

7 치킨 가스와 매운 돈가스는 각각 몇 개 팔렸을까요?

치킨 가스 (　　　　　　　　　　)

매운 돈가스 (　　　　　　　　　　)

8 막대그래프를 완성해 보세요.

하루 동안 판매량

9 이 돈가스 가게에서 많이 팔린 종류부터 차례대로 써 보세요.

(　　　　　　　　　　　　　　　　　　　　)

[10~12] 승희네 마을 사람들의 기대 수명을 조사하여 나타낸 막대그래프입니다. 물음에 답하세요.

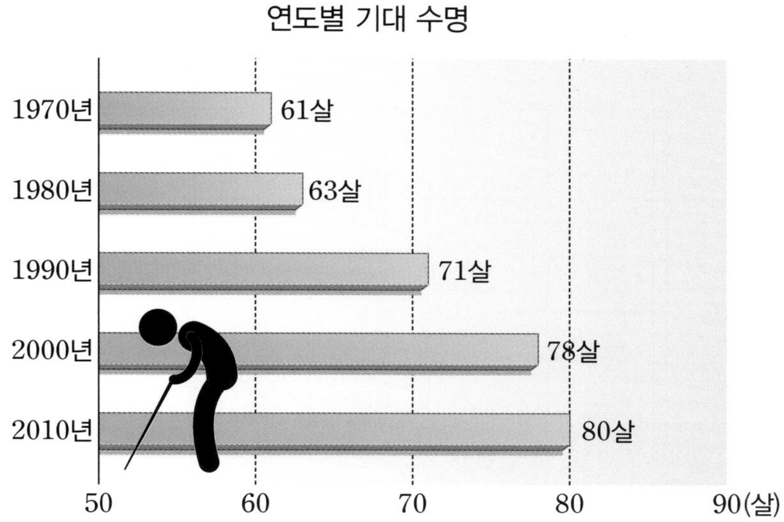

기대 수명은 나이, 성별 등 여러 조건을 바탕으로 몇 살까지 살 수 있는지 예측하여 나타낸 것을 말해요.

10 기대 수명이 가장 높은 때는 몇 년도일까요?

( )

11 막대그래프에서 이 마을의 남자와 여자의 기대 수명을 각각 알 수 있을까요?

( )

12 1980년과 2000년의 기대 수명의 차는 얼마일까요?

( )

[13~14] 민호가 5일 동안 운동한 시간을 조사하여 나타낸 막대그래프입니다. 수요일에는 40분 동안 운동을 했습니다. 물음에 답하세요.

요일별 운동한 시간

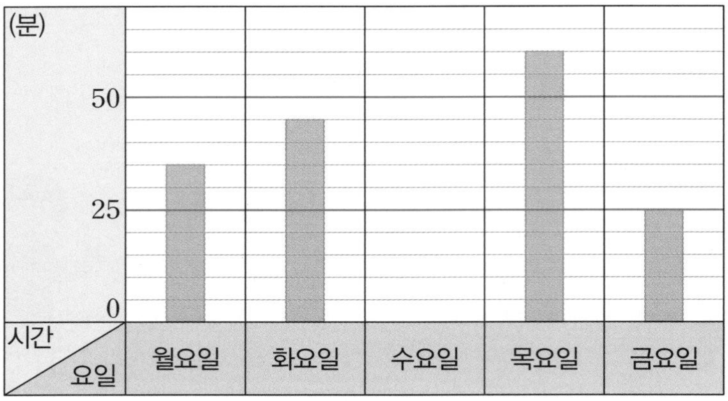

13 세로 눈금 한 칸의 크기는 몇 분을 나타낼까요?

(　　　　　　　　　　)

14 수요일에 운동한 시간을 몇 칸으로 나타내어야 하는지 구하고 위의 막대그래프를 완성해 보세요.

(　　　　　　　　　　)

15 문화 센터 강좌의 수강생을 조사하여 나타낸 막대그래프입니다. 종이접기 수강생은 뜨개질 수강생의 $\frac{1}{2}$일 때 수강생이 세 번째로 많은 강좌는 무엇일까요?

강좌별 수강생 수

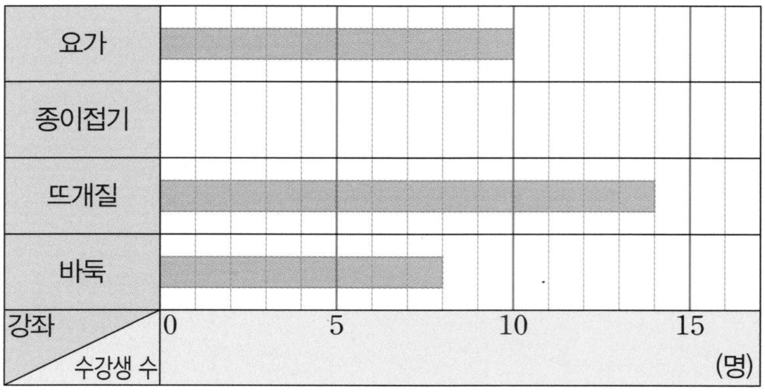

(　　　　　　　　　　)

6 규칙 찾기

✲ 수의 배열에서 규칙 찾기

① 수 배열표에서 규칙 찾기

301	311	321	331	341
201	211	221	231	241
101	111	121	131	141

- 가로(→)는 오른쪽으로 10씩 커집니다.
- 세로(↓)는 아래쪽으로 100씩 작아집니다.
- ↘ 방향은 90씩 작아집니다.

② 수의 배열에서 규칙 찾기

2 – 4 – 8 – 16 – 32

- 2부터 시작하여 2씩 곱한 수가 오른쪽에 있습니다.
- 32에서부터 왼쪽으로 2씩 나누는 규칙이 있습니다.

✲ 도형의 배열에서 규칙 찾기

첫째 둘째 셋째

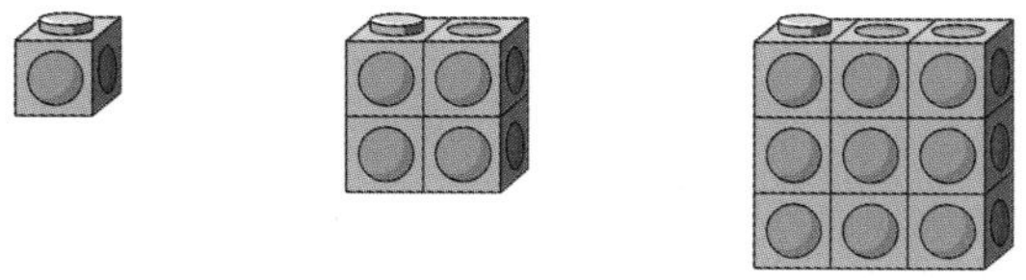

- 모형의 수가 가로와 세로로 각각 1개씩 늘어나며 정사각형 모양이 됩니다.
- 넷째 모양은 모형이 가로 4개, 세로 4개로 이루어진 정사각형 모양이 됩니다.

✲ 계산식에서 규칙 찾기

① 덧셈식과 뺄셈식에서 규칙 찾기

덧셈식	뺄셈식
101+202=303	301−201=100
111+212=323	311−211=100
121+222=343	321−221=100

- 덧셈식: 십의 자리 수가 각각 1씩 커지는 두 수의 합은 20씩 커집니다.
- 뺄셈식: 같은 자리의 수가 똑같이 커지는 두 수의 차는 항상 일정합니다.

② 곱셈식과 나눗셈식에서 규칙 찾기

곱셈식	나눗셈식
10×11=110	100÷10=10
20×11=220	200÷10=20
30×11=330	300÷10=30

- 곱셈식: 10부터 30까지 수 중에서 일의 자리 수가 0인 수에 11을 곱하면 백의 자리 수와 십의 자리 수가 같은 세 자리 수가 나옵니다.
- 나눗셈식: 100, 200, 300……과 같이 100씩 커지는 수를 10으로 나누면 계산 결과는 10씩 커집니다.

유형 1 수 배열표 일부분을 보고 규칙 찾기

추론

1 규칙적인 수의 배열에서 ■, ●에 알맞은 수를 구하려고 합니다. 물음에 답하세요.

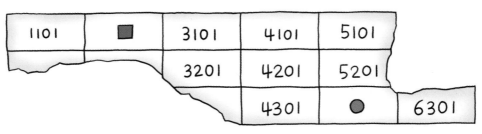

1101	■	3101	4101	5101	
		3201	4201	5201	
			4301	●	6301

❶ 가로(→)에서 규칙을 찾아 □ 안에 알맞은 수를 써넣으세요.

가로(→)는 오른쪽으로 □씩 커집니다.

❷ 세로(↓)에서 규칙을 찾아 □ 안에 알맞은 수를 써넣으세요.

세로(↓)는 아래쪽으로 □씩 커집니다.

❸ 규칙적인 수의 배열에서 ■, ●에 알맞은 수를 구해 보세요.

■ (　　　　　　　　　)

● (　　　　　　　　　)

2 규칙적인 수의 배열에서 ★, ♠에 알맞은 수를 구해 보세요.

24953	★	26953	27953		
		36953	37953	38953	♠

★ (　　　　　　　　　　)

♠ (　　　　　　　　　　)

3 규칙적인 수의 배열에서 ◆, ◎에 알맞은 수를 구해 보세요.

2	4	◆	16		
	40	80	160	320	
		800	1600	3200	◎

◆ (　　　　　　　　　　)

◎ (　　　　　　　　　　)

4 규칙적인 수의 배열에서 ♥, ▲에 알맞은 수를 구해 보세요.

10553	♥	10333	10223	10113	
		21333	21223	21113	21003
			32223	▲	32003

♥ (　　　　　　　　　　)

▲ (　　　　　　　　　　)

유형 ② 규칙적인 계산식

정보 처리

1 수 배열표를 보고 물음에 답하세요.

21	22	23	24	25
26	27	28	29	30
31	32	33	34	35
36	37	38	39	40
41	42	43	44	45

❶ □ 안에 알맞은 수를 써넣으세요.

$$21+27+33=27\times\square$$

$$22+28+34=28\times\square$$

$$23+29+35=29\times\square$$

❷ ❶의 식을 보고 수 배열표의 ↘ 방향에서 규칙을 찾아보세요.

규칙 ______________________________

____

❸ 찾은 규칙을 이용하여 식을 완성해 보세요.

$$26+32+38=\square\times\square$$

2 달력의 수 배열에서 보기 와 같이 세 수를 골라 규칙적인 계산식을 완성해 보세요.

○월						
일	월	화	수	목	금	토
	1	2	3	4	5	6
7	8	9	10	11	12	13
14	15	16	17	18	19	20
21	22	23	24	25	26	27
28	29	30	31			

보기

3, 11, 19

➜ $3+19=11\times2$

$4+20=\square\times2$

$9+25=\square\times2$

$15+31=\square\times2$

3 엘리베이터 버튼의 수 배열을 보고 규칙적인 계산식을 찾아보세요.

24	25	26	27	◁▷	▷◁
18	19	20	21	22	23
12	13	14	15	16	17
6	7	8	9	10	11
L	1	2	3	4	5

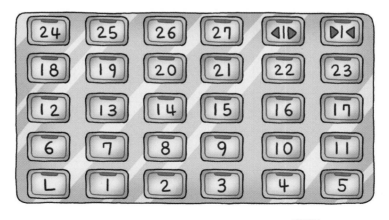

$4+9+14+19+24=14\times\square$

$5+10+15+20+25=\square\times\square$

유형 3 도형수

1 삼각형, 사각형, 오각형 등의 도형 모양을 이루는 점의 수를 도형수라고 합니다. 다음과 같이 삼각형 모양을 이루는 점의 수를 삼각수라고 합니다. 점으로 만든 삼각형의 배열을 보고 물음에 답하세요.

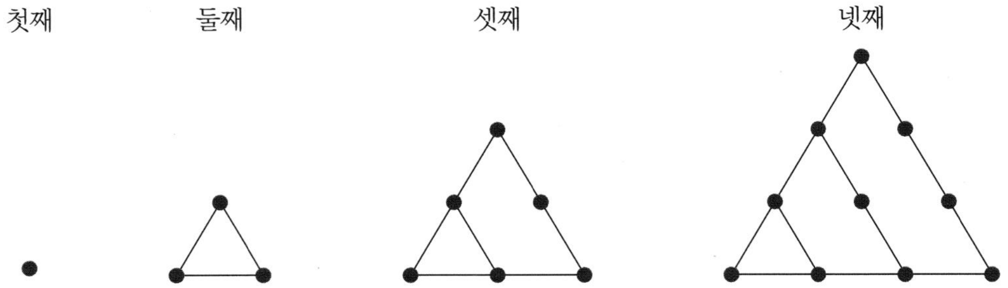

① 점의 수를 세어 표를 완성해 보세요.

순서	첫째	둘째	셋째	넷째
점의 수(개)	1			

② 점의 수에서 규칙을 찾아보세요.

규칙 ______________________________

③ 다섯째에 알맞은 삼각형의 점의 수를 구해 보세요.

( )

2 늘어나는 수의 규칙을 찾아 빈 곳에 알맞은 수를 써넣으세요.

❶

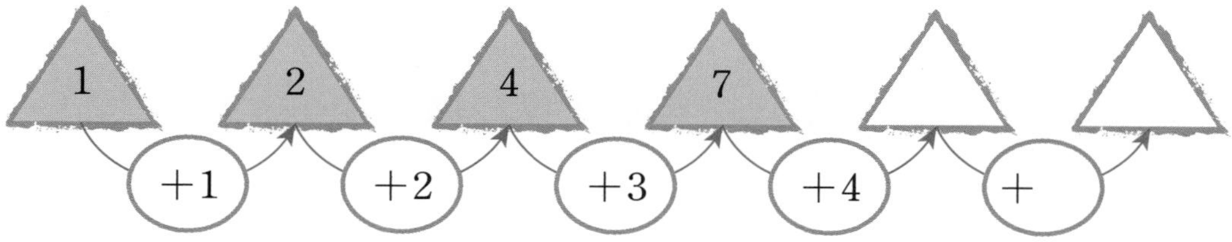

❷

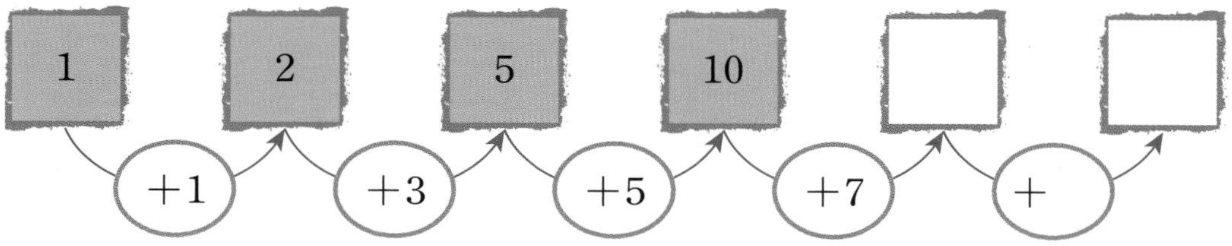

3 다음과 같이 사각형 모양을 이루는 점의 수를 사각수라고 합니다. 점으로 만든 사각형의 배열에서 규칙을 찾아 여섯째에 알맞은 사각형의 점의 수를 구해 보세요.

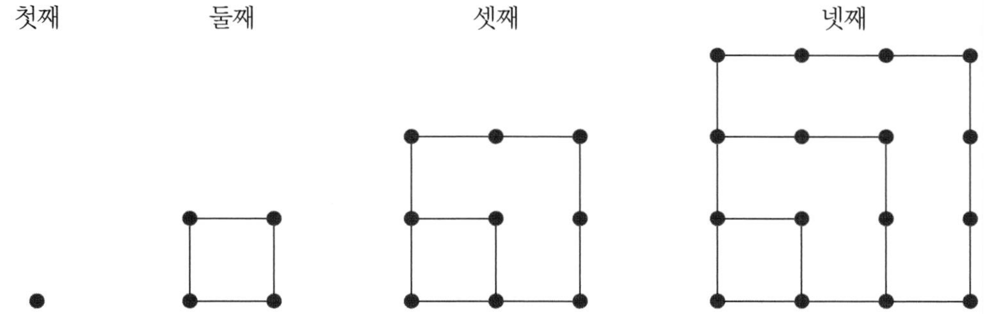

(　　　　　　　　　)

유형 4 도형의 배열에서 규칙 찾기

추론

1 도형의 배열을 보고 여섯째에 알맞은 도형에서 사각형의 수는 몇 개인지 알아보려고 합니다. 물음에 답하세요.

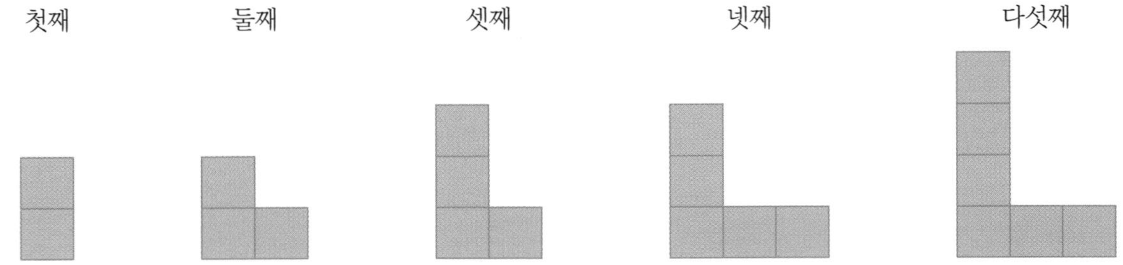

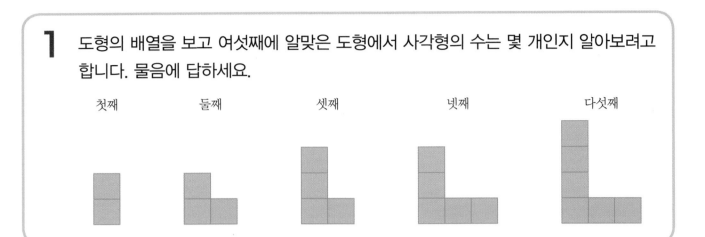

❶ 도형의 배열에서 규칙을 찾아보세요.

규칙 ______________________________

____

❷ 여섯째에 알맞은 도형을 그려 보세요.

❸ 여섯째에 알맞은 도형에서 사각형의 수를 구해 보세요.

(   )

2 사각형 모양의 배열을 보고 여섯째에 알맞은 모양에서 모형의 수를 구해 보세요.

첫째 둘째 셋째 넷째

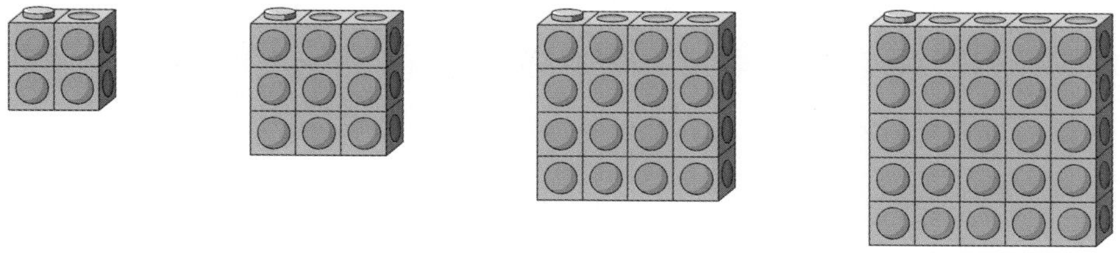

( )

3 도형의 배열을 보고 여섯째에 알맞은 도형에서 사각형의 수를 구해 보세요.

첫째 둘째 셋째 넷째

( )

4 도형의 배열을 보고 다섯째에 알맞은 도형에서 사각형의 수를 구해 보세요.

첫째 둘째 셋째 넷째

( )

유형 5 도형의 배열과 수의 합의 규칙

창의・융합

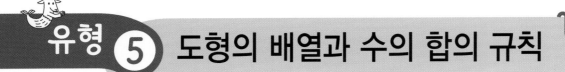

1 도형의 배열을 보고 연속하는 자연수의 합을 구하려고 합니다. 물음에 답하세요.

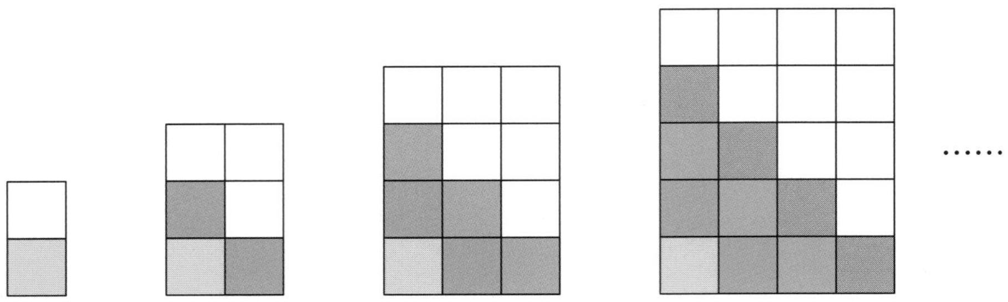

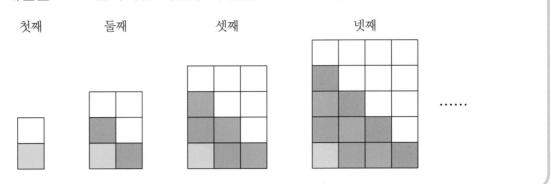

① 다섯째에 알맞은 도형을 그려 보세요.

② 색칠한 사각형의 수를 나타내는 두 가지 식을 완성해 보세요.

순서	첫째	둘째	셋째	넷째	다섯째
식 1	1	1+2	1+2+3	1+2+3+4	
식 2	1×2÷2	2×3÷2	3×4÷2	4×5÷2	

③ ②에서 찾은 규칙으로 1부터 30까지의 연속하는 자연수의 합을 구해 보세요.

1+2+3+……+28+29+30=☐×☐÷2=☐

2 도형의 배열을 보고 연속하는 홀수의 합을 구하려고 합니다. 늘어나는 사각형의 수의 규칙을 찾아 1부터 25까지의 홀수의 합을 계산해 보세요.

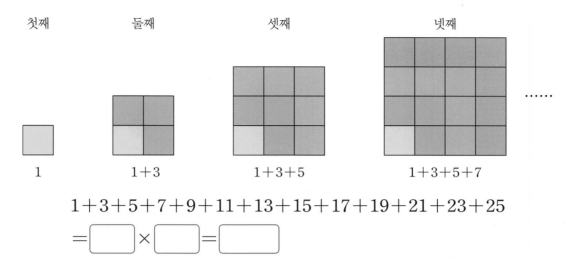

첫째	둘째	셋째	넷째

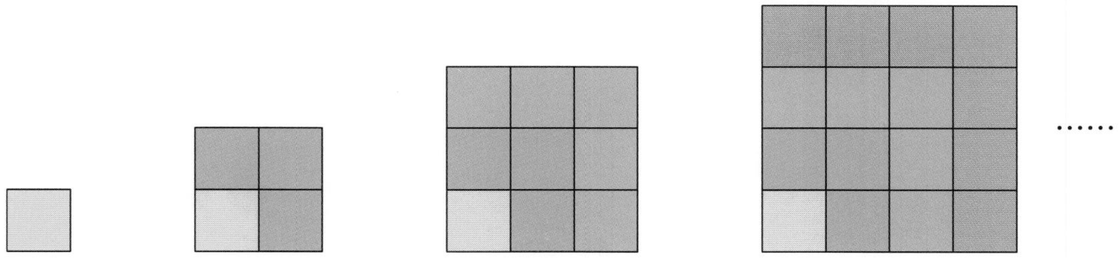

1	$1+3$	$1+3+5$	$1+3+5+7$

$$1+3+5+7+9+11+13+15+17+19+21+23+25$$
$$=\square\times\square=\square$$

3 도형의 배열을 보고 연속하는 짝수의 합을 구하려고 합니다. 늘어나는 사각형의 수의 규칙을 찾아 2부터 40까지의 짝수의 합을 계산해 보세요.

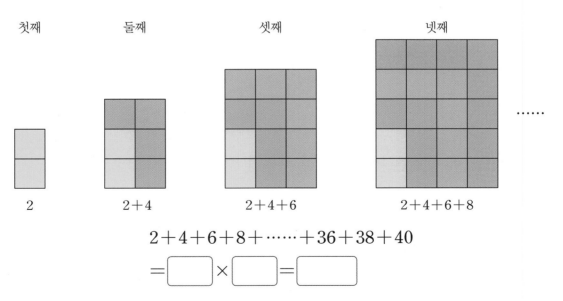

첫째	둘째	셋째	넷째

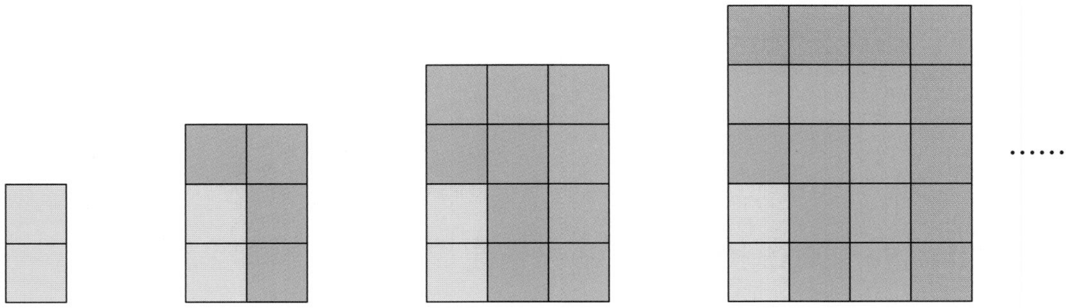

2	$2+4$	$2+4+6$	$2+4+6+8$

$$2+4+6+8+\cdots\cdots+36+38+40$$
$$=\square\times\square=\square$$

6 단원

유형 6 바둑돌의 배열과 규칙

추론

1 다음과 같은 규칙으로 바둑돌을 놓았습니다. 열째 모양에서 검은 바둑돌과 흰 바둑돌의 개수의 차를 구하려고 합니다. 물음에 답하세요.

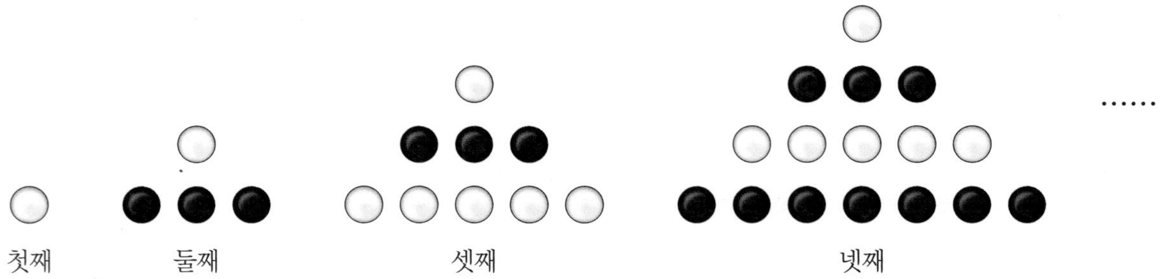

❶ 표를 완성해 보세요.

순서	첫째	둘째	셋째	넷째
더 많은 바둑돌	흰 바둑돌	검은 바둑돌		
개수의 차(개)				

❷ 열째 모양에서 검은 바둑돌과 흰 바둑돌 중 어느 바둑돌이 몇 개 더 많은지 □ 안에 알맞은 수나 말을 써넣으세요.

열째 모양에서는 □ 바둑돌이 □개 더 많습니다.

2 다음과 같은 규칙으로 바둑돌을 놓았습니다. 여덟째 모양에서 검은 바둑돌은 몇 개인지 구해 보세요.

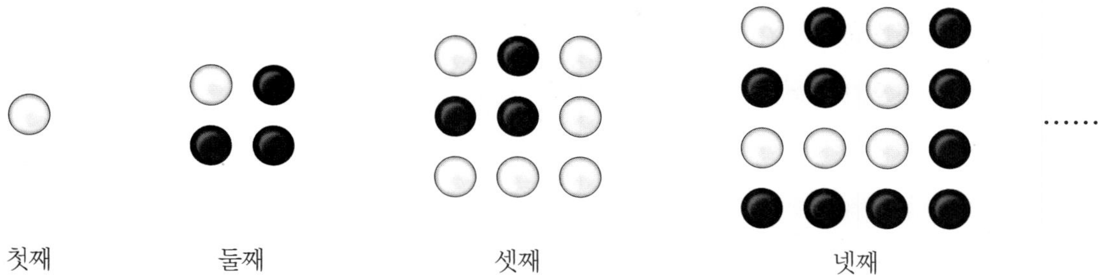

( )

3 다음과 같은 규칙으로 바둑돌을 놓았습니다. 여섯째 모양에서 흰 바둑돌은 몇 개인지 구해 보세요.

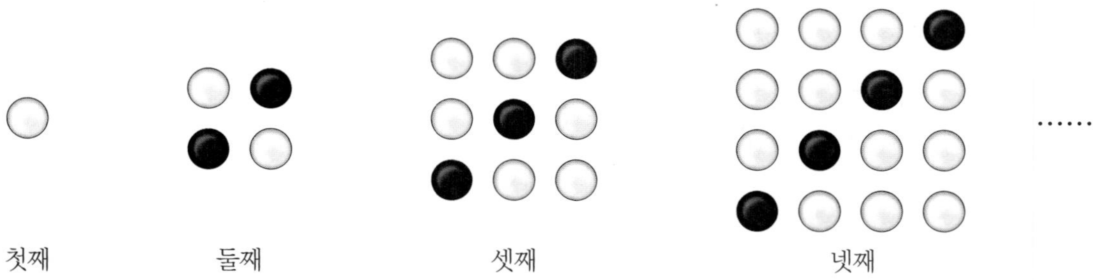

( )

사고력 종합 평가

1 수의 배열의 규칙에 따라 빈칸에 알맞은 수를 써넣으세요.

8	24	72	216	648	

2 규칙을 찾아 빈칸에 알맞은 수를 써넣으세요.

1000001	1000102		1000304	1000405
1100001	1100102	1100203	1100304	1100405
	1200102	1200203		1200405
1300001	1300102	1300203	1300304	
1400001		1400203	1400304	1400405

3 곱셈표를 완성해 보세요.

×	5		7	
50	250	300	350	400
100	500	600		800
150	750	900	1050	
200		1200	1400	1600
250	1250		1750	2000

4 규칙적인 수의 배열에서 ■, ●에 알맞은 수를 구해 보세요.

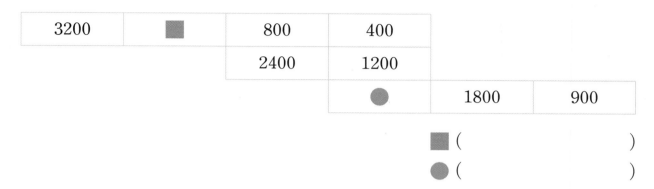

3200	■	800	400		
		2400	1200		
			●	1800	900

■ (　　　　　　)
● (　　　　　　)

5 도형의 배열을 보고 다섯째에 알맞은 모양을 찾아 ○표 하세요.

첫째　　둘째　　셋째　　넷째

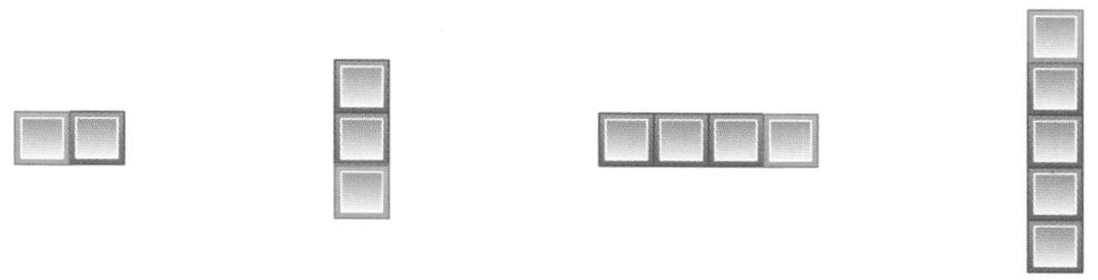

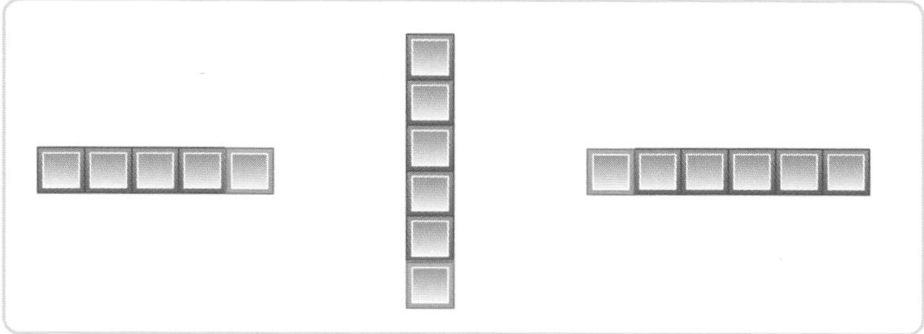

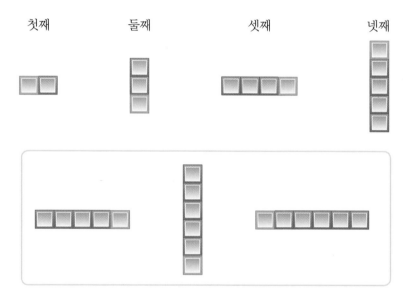

6 사물함 번호의 배열을 보고 규칙적인 계산식을 완성해 보세요.

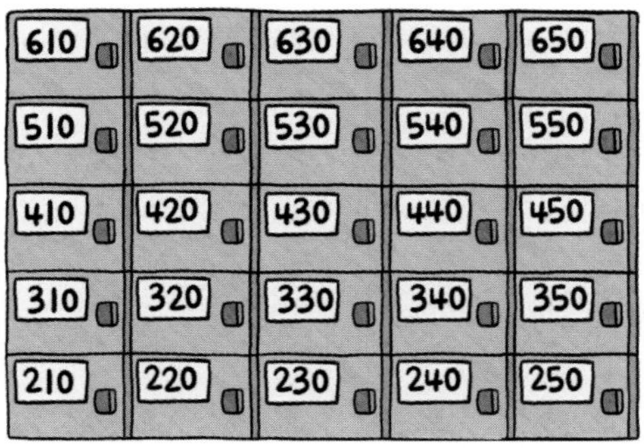

$230+450=\square\times 2$

$330+550=\square\times 2$

$430+650=\square\times 2$

[7~9] 다음과 같은 규칙으로 성냥개비를 놓았습니다. 여덟째에 알맞은 모양에서 성냥개비의 수를 구하려고 합니다. 물음에 답하세요.

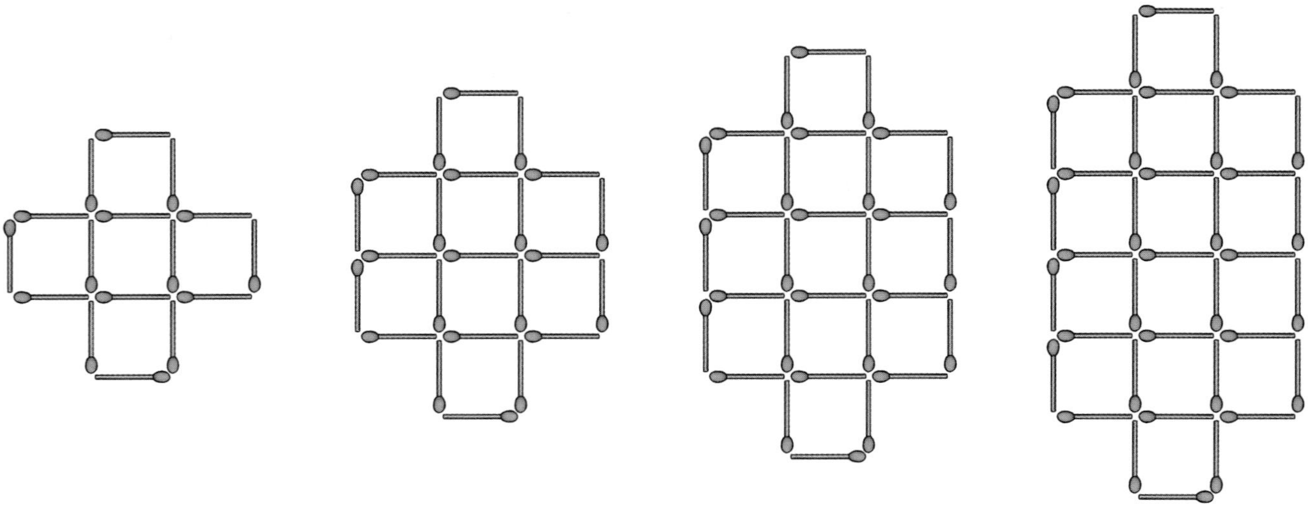

첫째 둘째 셋째 넷째

7 표를 완성해 보세요.

순서	첫째	둘째	셋째	넷째
성냥개비의 수(개)	16			

8 성냥개비의 수에서 규칙을 찾아 □ 안에 알맞은 수를 써넣으세요.

성냥개비의 수가 16개에서 시작하여 □개씩 늘어납니다.

9 여덟째에 알맞은 모양에서 성냥개비의 수를 구해 보세요.

( )

10 다음과 같은 규칙으로 성냥개비를 놓았습니다. 다섯째에 알맞은 모양에서 성냥개비의 수를 구해 보세요.

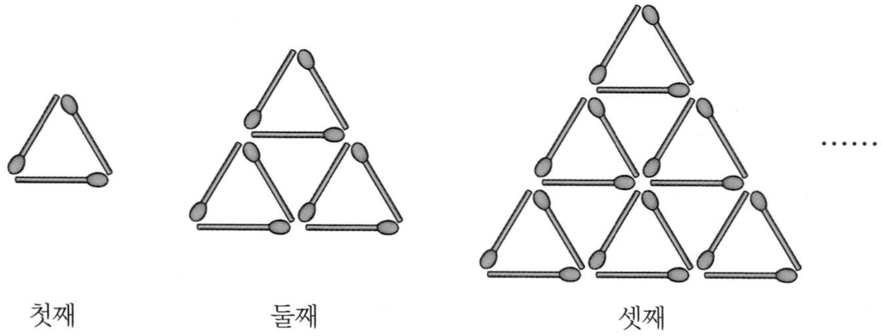

(　　　　　　　　)

11 점으로 만든 오각형의 배열에서 규칙을 찾아 다섯째에 알맞은 오각형에서 점은 몇 개인지 구해 보세요.

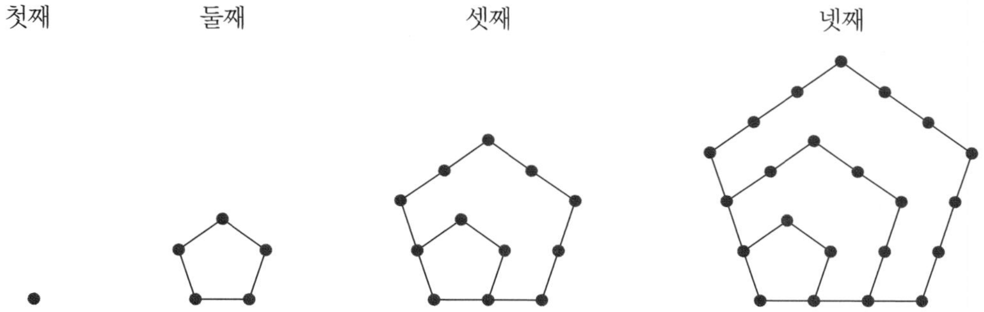

(　　　　　　　　)

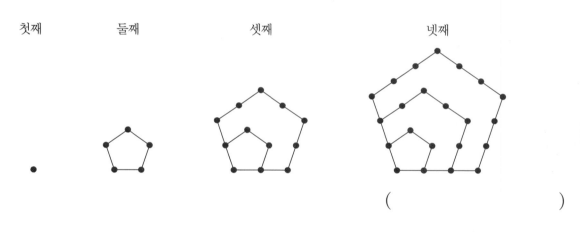

12 다음과 같은 규칙으로 쌓기나무를 쌓았습니다. 일곱째에 알맞은 모양에서 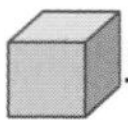의 수를 구해 보세요.

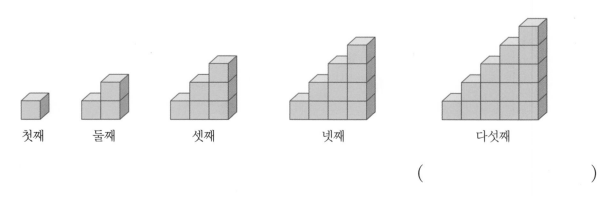

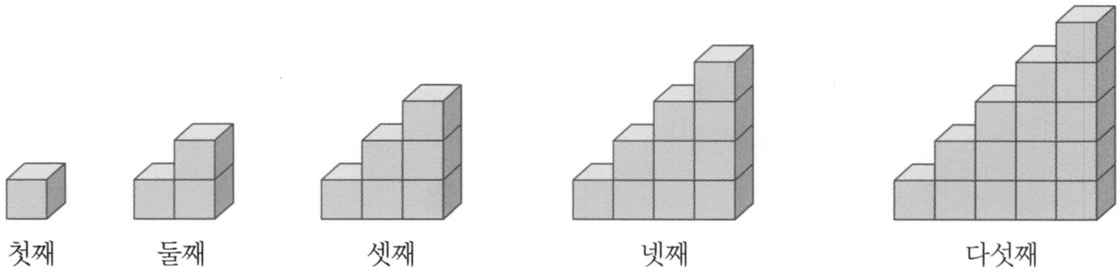

(　　　　　　　　)

13 도형에서 늘어나는 사각형의 수의 규칙을 찾아 2부터 60까지의 짝수의 합을 구해 보세요.

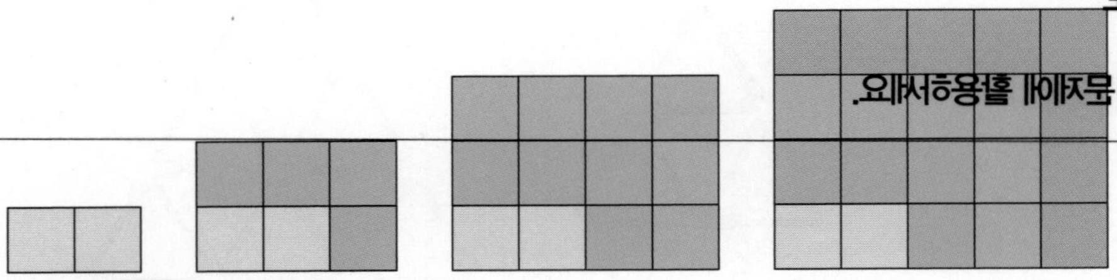

$$2+4+6+\cdots+56+58+60=\square\times\square=\square$$

14 다음과 같은 규칙으로 바둑돌을 놓았습니다. 여섯째에 알맞은 모양에서 검은 바둑돌의 개수를 구해 보세요.

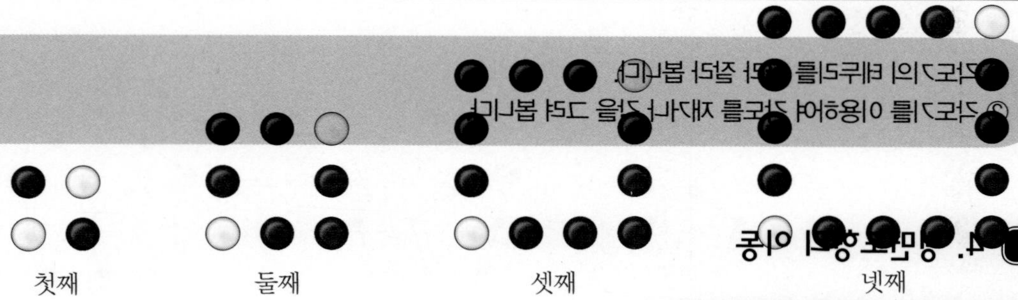

( )

15 바둑돌의 배열을 보고 여섯째 모양과 일곱째 모양의 바둑돌의 개수의 합을 구해 보세요.

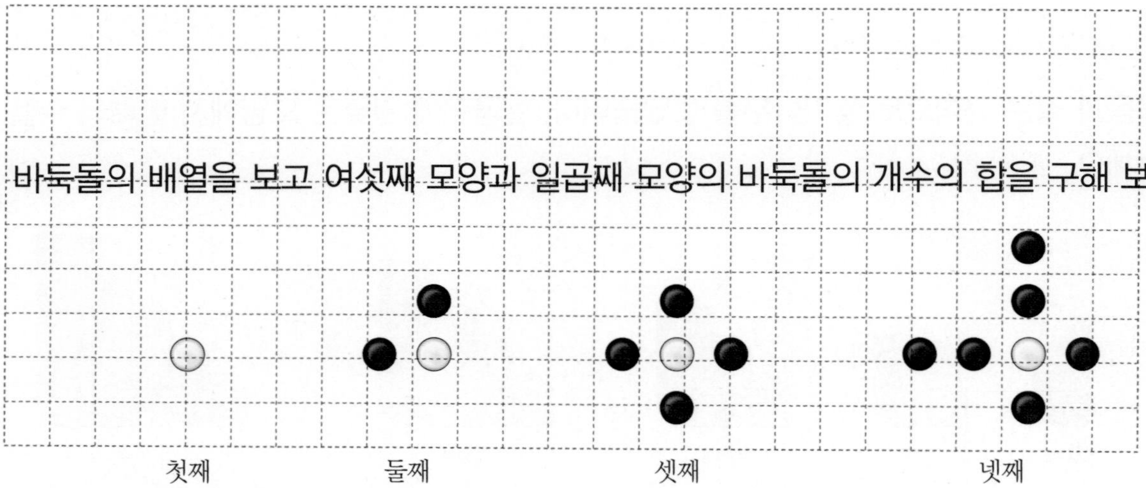

( )